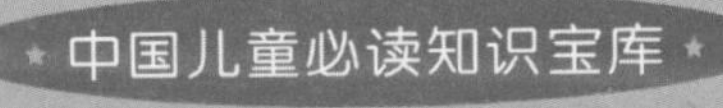

中国儿童必读知识宝库

Why 100,000

十万个为什么

SHIWANGE WEISHENME

美丽的自然

■总策划／邢 涛 ■主 编／龚 勋

云南出版集团公司
云南教育出版社

推荐序

TUIJIANXU

阅读点亮智慧童年

阅读能力的培养提高是儿童智能教育的重点。从早期温馨的亲子共读，到识字认拼音开始独立阅读的过程中，孩子的阅读兴趣与学习动力充分被激发，语言能力快速提高，情商与智商得到最有效的全面开发，同时还可以获得看、听、读、写一整套养成性教育，为今后的学习打下良好的基础。

读，很重要；读什么，尤其重要！该系列是一套适于孩子阅读的“问题”百科书，精选了宇宙、自然、社会和科学领域孩子们最好奇、最需要知道的“十万个为什么”，并给出最通俗易懂、科学精妙的解答，帮助孩子们简单地构筑科学的知识体系，了解一些必要的百科基础知识。

阅读能给孩子带来一生的财富。喜欢阅读的孩子不仅能收获知识和智慧，更能乐在其中，寻找到爱与光明，打亮人生的底色！

● 世界儿童基金会 林春雷

好书改变孩子一生

“中国儿童必读知识宝库”系列主题丰富，插图精美多元化，内容深入浅出、趣味十足，是专为孩子们量身打造的一套精美生动的彩图注音读物。在这里，孩子们将通过一个个“为什么”，了解神奇的宇宙、美丽的自然、多彩的社会，以及奇妙的科学和技术……

本丛书编者从儿童心理与认知力的发育特点出发，根据多年从事儿童出版的丰富经验，并汇集儿童教育专家的研究成果，将儿童最感兴趣、最需要了解、最适合阅读的内容，以活泼新颖的编排形式表现出来，不仅能全面构筑孩子的知识体系，更能均衡开发孩子的智慧潜能，让他们从阅读中享受到收获的乐趣。

● 中国儿童教育研究所 陈勉

对于充满好奇心的孩子们来说，自然界中存在着太多的秘密：蜜蜂为什么用跳舞来传递消息？为什么秋天会有落叶？吃进肚里的西瓜子会长苗吗？为什么人有时会生病？……这一个个“为什么”，是孩子们认识世界、了解自身的开始，看似简单，却涉及自然界各个门类的知识。

本书共分三章，依次是：走近可爱的动物、观察有趣的植物和探索奇妙的人体。每一章都从儿童的视角出发，精选孩子们最想知道的“为什么”，用充满童趣的语言将复杂的科学知识娓娓道来，用漂亮活泼的图片引领小读者进入一个奇幻瑰丽的知识殿堂。

第 1 章

走近可爱的动物

- 海绵为什么千姿百态？……10
- 水母的触手有什么用？……11
- 瓢虫有什么避敌高招？……12
- 蝉为什么要不停地唱歌？……14
- 蟋蟀是怎么唱歌的？……16
- 屎壳郎为什么要推粪球？……18
- 蜜蜂为什么喜欢跳舞？……20
- 蝴蝶与毛毛虫有什么关系？……22
- 乌龟为什么能长寿？……24
- 为什么鳄鱼会流眼泪？……26
- 为什么鸵鸟不会飞？……28
- 为什么鹦鹉会学舌？……30
- 孔雀为什么要开屏？……32
- 袋鼠妈妈为什么长着口袋？……34
- 北极熊为什么不怕冷？……36
- 大象的长鼻子有什么用？……38
- 骆驼为什么能耐渴？……40
- 马为什么站着睡觉？……42
- 为什么狼眼在夜间会发光？……44
- 为什么大熊猫那么珍贵？……46
- 老虎的身上为什么有条纹？……48
- 为什么说猫有“九条命”？……50
- 为什么大猩猩爱捶打胸脯？……52

第 2 章

观察有趣的植物

● 植物是吃什么长大的？…………54
● 植物有没有好朋友？…………56
● 植物会自己播种吗？…………58
● 种子是怎么长成幼苗的？…………60
● 幼苗为什么能长成大树？…………62
● 树的年龄怎么看？…………64
● 树木需要呼吸吗？…………66
● 为什么草和树都是绿色的？…………68
● 为什么叶子的形状不一样？…………70
● 叶片上为什么会长“筋”？…………71
● 为什么树木在秋天会落叶？…………72
● 为什么秋天枫叶会变红？…………74
● 为什么花有多种颜色？…………76
● 花都有香味吗？…………78
● 无花果真的不开花吗？…………79
● 为什么水果有酸有甜？…………80
● 肚里的西瓜子会长苗吗？…………82

第 3 章

探索奇妙的人体

● 我的身体和别人的一样吗？…………84
● 身体是由什么组成的？…………86
● 谁在管理我们身体里的细胞？…………88
● 为什么人有时会生病？…………90
● 骨骼有什么用？…………92
● 为什么心脏一直跳个不停？…………94

- 人为什么要呼吸？ ················ 96
- 为什么我们每天都要吃东西？ ········ 98
- 我们怎样清除身体里的废物？ ········ 100
- 人脑是如何思考的？ ················ 102
- 为什么眼睛能看见东西？ ············ 104
- 为什么耳朵能听到声音？ ············ 106
- 为什么鼻子能闻到气味？ ············ 108

- 舌头怎么品尝味道？ ················ 110
- 我是从哪里来的？ ·················· 112
- 为什么我长得像爸爸妈妈？ ·········· 114
- 血液为什么是红色的？ ·············· 116
- 为什么人的肤色不一样？ ············ 118

第1章

走近可爱的动物

从深深的海底到高高的山顶，从苍茫的大地到辽阔的天空，到处都有动物的身影，它们是人类最好的朋友。关于可爱的动物，你了解多少，知道多少？现在，让我们一起走近它们，了解它们……

hǎi mián wèi shén me qiān zī bǎi tài

海绵为什么千姿百态?

海绵

xiǎo péng yǒu jiàn guò hǎi mián ma tā men de xíng zhuàng qiān zī bǎi tài yǒu de xiàng qì
小朋友见过海绵吗?它们的形状千姿百态:有的像气
qiú yǒu de xiàng shàn zi yǒu de xiàng chá hú yǒu de xiàng shù zhī zhè shì yīn wèi hǎi mián de
球,有的像扇子,有的像茶壶,有的像树枝……这是因为海绵的
shēn tǐ hěn róu ruǎn huì suí zhe shēng zhǎng huán jìng de bù tóng ér zhǎng chéng bù tóng de xíng
身体很柔软,会随着生长环境的不同而长成不同的形
zhuàng lì rú kào jìn hǎi àn chù de hǎi mián xǐ huan bāo zài yán shí shang suǒ yǐ
状。例如,靠近海岸处的海绵喜欢包在岩石上,所以
jiù hǎo xiàng báo báo de qié zi pí shēng zhǎng zài fēng píng làng jìng hǎi yáng zhōng de
就好像薄薄的茄子皮;生长在风平浪静海洋中的
hǎi mián kàn qǐ lái hǎo xiàng gāo gāo de yān cōng
海绵,看起来好像高高的烟囱。

海绵的结构示意图

海岸上的管状海绵

shuǐ mǔ de chù shǒu yǒu shén me yòng
水母的触手有什么用?

zài wèi lán de hǎi yáng zhōng qī xī zhe xǔ duō tòu míng de shuǐ mǔ
在蔚蓝的海洋中,栖息着许多透明的水母,

tā men yóu dòng shí xiàng sì zhōu shēn chū cháng cháng de chù shǒu kàn qǐ lái
它们游动时向四周伸出长长的触手,看起来

piào liang jí le qí shí zhè xiē chù shǒu shì shuǐ mǔ bǔ shí de gōng jù hé
漂亮极了。其实,这些触手是水母捕食的工具和

zì wèi de wǔ qì shàng miàn zhǎng zhe wú shù gēn xiǎo cì cì shang de dú yè jiù xiàng yǎn jìng shé de
自卫的武器,上面长着无数根小刺,刺上的毒液就像眼镜蛇的

dú yè yí yàng kě yǐ shāng hài liè wù suǒ yǐ rú guǒ jiàn dào zhè xiē shuǐ mǔ
毒液一样可以伤害猎物。所以如果见到这些水母,

wǒ men kě qiān wàn bú yào dòng shǒu qù mō fǒu zé huì bèi zhē shāng de
我们可千万不要动手去摸,否则会被蜇伤的。

晶莹剔透的深海水母

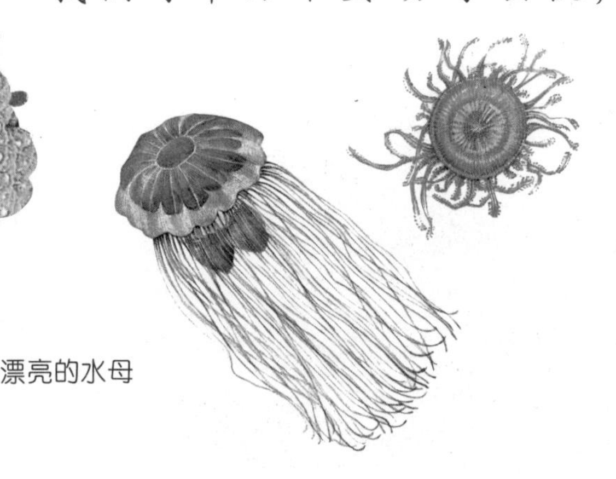

漂亮的水母

piáo chóng yǒu shén me bì dí gāo zhāo

瓢虫有什么避敌高招?

tǐ xíng jiào xiǎo de kūn chóng men yǒu hěn duō duǒ bì qū gǎn dí rén de zhāo shù dāng piáo chóng
体形较小的昆虫们有很多躲避、驱赶敌人的招数。当瓢虫

yù dào tiān dí huò zhě shòu dào wài jiè de cì jī shí huì yǒu yì zhǒng qí guài de biǎo xiàn shén
遇到天敌或者受到外界的刺激时，会有一种奇怪的表现——“神

jīng xiū kè yě jiù shì zhuāng sǐ cǐ shí piáo chóng jiù xiàng wán quán
经休克”，也就是装死。此时，瓢虫就像完全

shī qù zhī jué de sǐ chóng zi yí yàng yí dòng yě bú dòng guò yí
失去知觉的死虫子一样，一动也不动。过一

有些瓢虫对人类是有益的。

面对敌人时，瓢虫有自己的高招。

huì er dāng shén jīng xì tǒng huī fù zhèng cháng hòu piáo chóng jiù huì qīng xǐng guò
会儿，当神经系统恢复正常后，瓢虫就会清醒过

lái zhè shí dí rén yě zǎo yǐ lí kāi le piáo chóng de dì èr gè gāo
来，这时敌人也早已离开了。瓢虫的第二个高

zhāo jiù shì shì fàng nán wén de yè tǐ zhè zhǒng yè tǐ de wèi dào yòu
招就是释放难闻的液体，这种液体的味道又

chòu yòu là lìng dí rén hěn bù shū fu jiù lián nà xiē ài zhuó shí kūn
臭又辣，令敌人很不舒服。就连那些爱啄食昆

chóng de niǎo lèi wén dào yǐ hòu yě yào tuì bì sān shè
虫的鸟类，闻到以后也要退避三舍。

鸟类是瓢虫的天敌。

数数看，瓢虫的斑点到底有多少？

瓢虫背上的斑点的多少因种类而异。

有些瓢虫专吃害虫。

智慧小考官

瓢虫的背上有多少斑点？

瓢虫背上的斑点有多有少。有些瓢虫有两个斑点，有些有9个，有些有12个，有些则一个也没有。其中斑点最多的是二十八星瓢虫，它的背上密密麻麻地排有28个斑点。

chán wèi shén me yào bù tíng de chàng gē

蝉为什么要不停地唱歌?

měi dāng xià rì lái lín, wǒ men dōu huì tīng dào chán de liáo liàng gē shēng。bìng qiě, tiān qì yuè shì mèn rè, chán de jiào shēng yuè shì huān kuài, chí xù shí jiān yě yuè cháng。chán wèi shén me ài chàng gē ne? yuán lái, chàng gē de dōu shì xióng chán, tā men yào kào gē shēng lái xī yǐn cí chán, yǐ biàn jìn xíng jiāo pèi, rán hòu shēng chū chán bǎo bǎo, wán chéng chuán zōng jiē dài de rèn

每当夏日来临，我们都会听到蝉的嘹亮歌声。并且，天气越是闷热，蝉的叫声越是欢快，持续时间也越长。蝉为什么爱唱歌呢？原来，唱歌的都是雄蝉，它们要靠歌声来吸引雌蝉，以便进行交配，然后生出蝉宝宝，完成传宗接代的任

蝉有一套完美的奏乐装备。

蝉宝宝是在地下生活的。

蝉蜕皮后，飞到树上生活。

wù　suǒ yǐ　yí dào fán zhí jì jié　xióng chán huì cóng qīng chén dào bàng
务。所以，一到繁殖季节，雄蝉会从清晨到傍

wǎn jiào gè bù tíng　jiù hǎo xiàng zài yǎn zòu　hūn lǐ jìn xíng qǔ　yí yàng
晚叫个不停，就好像在演奏“婚礼进行曲”一样。

bú guò　xióng chán zài hé cí chán jiāo pèi zhī hòu　hěn kuài jiù huì
不过，雄蝉在和雌蝉交配之后，很快就会

sǐ qù　tā men yě yīn cǐ bèi chēng wéi　duǎn mìng de gē shǒu
死去，它们也因此被称为“短命的歌手”。

角蝉

蝉是怎样发声的？

雄蝉的腹部两侧各有一片鼓膜。蝉通过肌肉的扯动来使鼓膜颤动，从而发出声音。鼓膜的中间有一个空腔，相当于共鸣器，可以把声音放大。

蜡蝉

大家说，我和蝉谁唱得更好啊？

蝉会在夏天的树林里集体歌唱。

蟋蟀是怎么唱歌的？

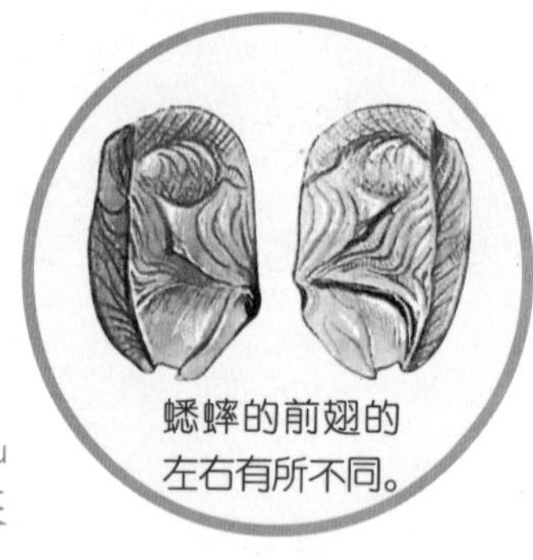

蟋蟀的前翅的左右有所不同。

夏天，蝉喜欢在树上歌唱，而蟋蟀则爱在角落里低吟。蟋蟀的口腔里没有声带，也没有喉咙，它是怎样发出声音的呢？在显微镜下，人们可以清楚地看到：雄蟋蟀的前翅上有旋涡纹状的翅膜，一边翅膀上长着锉刀状的翅膜——弦器，另一边翅膀上长着较硬的翅膜——弹器。当雄蟋蟀用两边翅膀互相摩擦时，

蟋蟀也被称为蛐蛐。

原来，蟋蟀是这样唱歌的！

雄蟋蟀用前翅左右摩擦来发出声音。

jiù huì fā chū shēng yīn xī shuài de fā shēng pín lǜ yóu chì bǎng de dà xiǎo hé zhòng liàng suǒ jué
就会发出声音。蟋蟀的发声频率由翅膀的大小和重量所决

dìng tā néng biàn huà shēng yīn de qiáng ruò suǒ yǐ tā de gē shēng tīng qǐ lái hěn yuè ěr
定，它能变化声音的强弱，所以它的歌声听起来很悦耳。

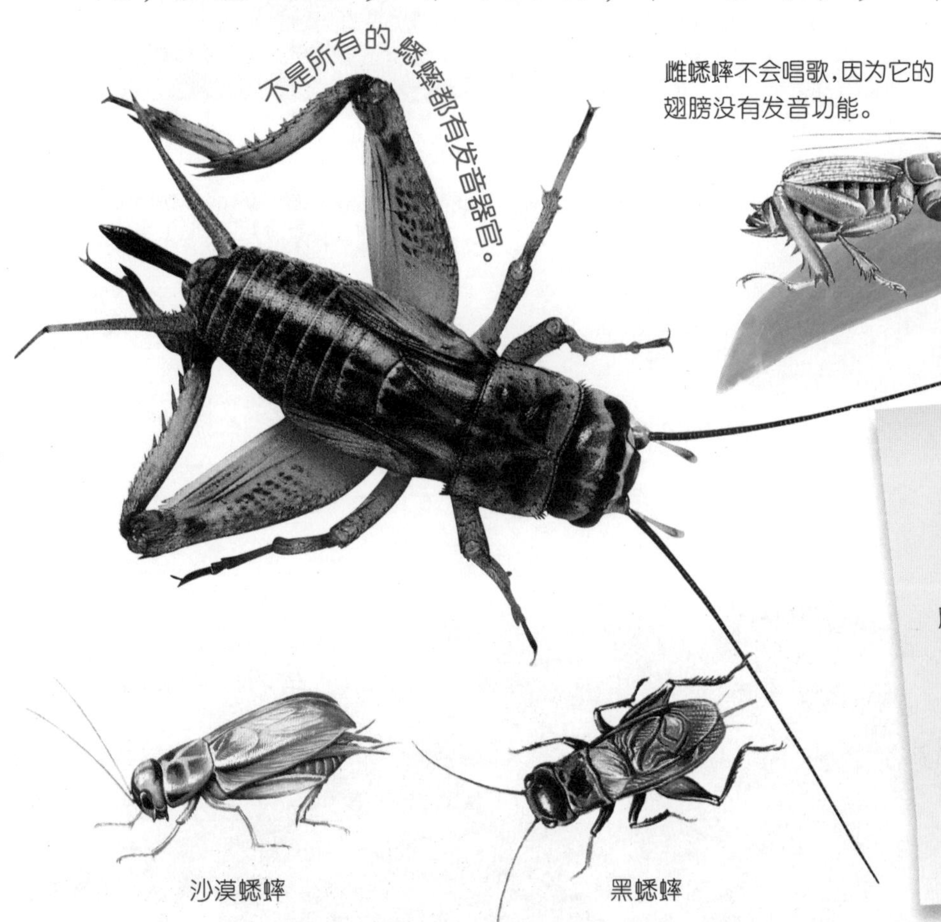

雌蟋蟀不会唱歌，因为它的翅膀没有发音功能。

蟋蟀善于跳跃。

智慧小考官

蟋蟀都有发音器官吗？

虽然大部分蟋蟀都通过翅膀上的发音器官发出声音，但也有几种蟋蟀不具有这种发音器官。这些不具有发音器官的蟋蟀会振动身躯，靠着身体部分的振动来传递声波，从而达到和其他蟋蟀交流的目的。

shǐ ke làng wèi shén me yào tuī fèn qiú

屎壳郎为什么要推粪球?

屎壳郎把自己的卵产在粪球里。

shǐ ke làng de xué míng jiào qiāng láng tā de shēn tǐ duǎn
屎壳郎的学名叫蜣螂，它的身体短
yuán fā hēi shàng miàn yǒu gè tū qǐ de xiàng dīng pá shì de
圆发黑，上面有个突起的像钉耙似的
wā jué gōng jù qián zú qiáng dà xiàng qiú pāi zhōng zú hé hòu zú shēng yǒu gōu cì shǐ ke làng jīng
挖掘工具；前足强大，像球拍；中足和后足生有钩刺。屎壳郎经
cháng huì tuī zhe fèn qiú qián jìn nǐ zhī dào ma zhè shì shǐ ke làng zài wèi tā de bǎo bǎo zhǔn bèi shí
常会推着粪球前进，你知道吗？这是屎壳郎在为它的宝宝准备食
wù ne shǐ ke làng de yòu chóng bì xū yào chī fèn qiú cái néng zhǎng dà suǒ yǐ chéng nián de cí shǐ ke
物呢！屎壳郎的幼虫必须要吃粪球才能长大，所以成年的雌屎壳
làng fā xiàn lā jī wū wù tè bié shì rén chù de fèn biàn hòu biàn huì bǎ
郎发现垃圾污物，特别是人畜的粪便后，便会把

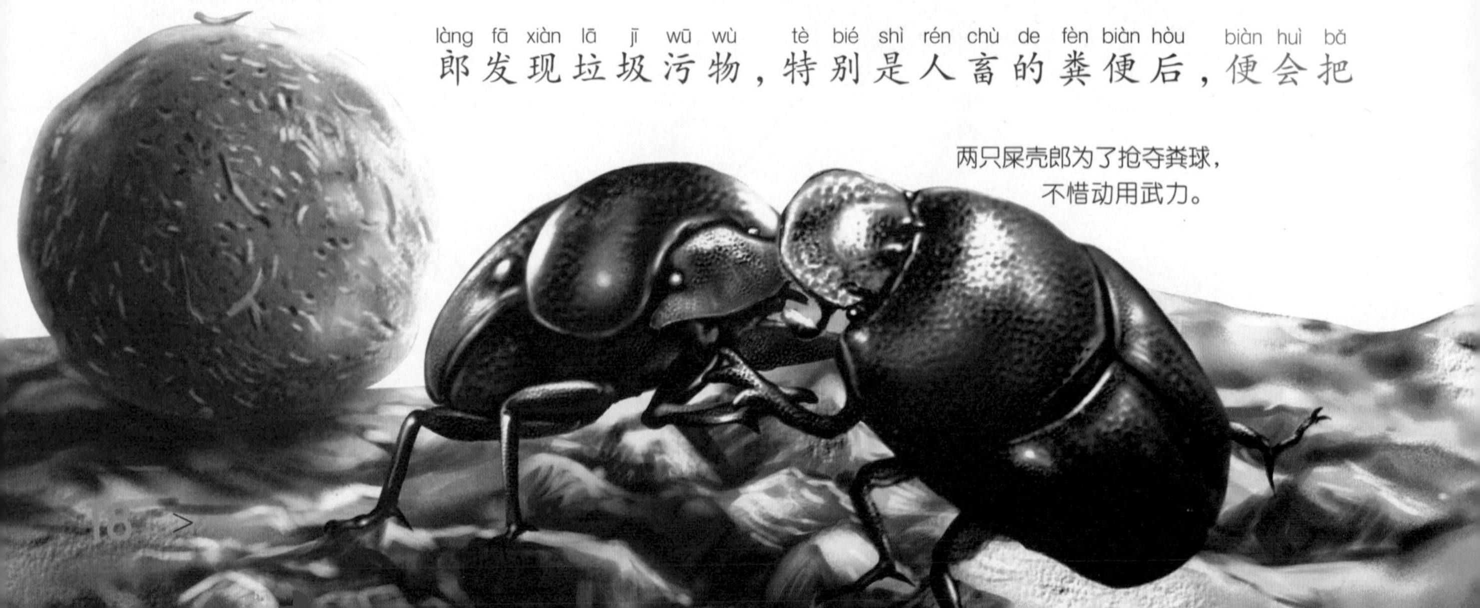

两只屎壳郎为了抢夺粪球，
不惜动用武力。

luǎn chǎn zài lǐ miàn rán hòu zài cuō chéng yí gè yuán yuán de
卵产在里面，然后再搓成一个圆圆的
fèn qiú mái dào ān quán de dì fang zhè yàng shǐ ke
粪球，埋到安全的地方。这样，屎壳
làng de bǎo bǎo jiù huì zài lǐ miàn chéng zhǎng shǐ ke
郎的宝宝就会在里面成长。屎壳
làng fù chū de láo dòng yuè duō tā wèi
郎付出的劳动越多，它为
bǎo bǎo cuō de fèn qiú jiù yuè dà
宝宝搓的粪球就越大。

小屎壳郎破土而出了。

屎壳郎大多以动物的粪便为食。

一只屎壳郎正在使劲地推一个大粪球。

智慧小考官

屎壳郎是怎样推粪球的?

屎壳郎推粪球可是要费一番工夫的。它们用后足勾住粪球，“臀部”高高翘起，头部朝下，前足撑住地面，将粪球慢慢向后推，直至放入已经挖好的土穴中，再用废物堵住出口才算完事。

mì fēng wèi shén me xǐ huan tiào wǔ

蜜蜂为什么喜欢跳舞?

蜂巢由工蜂腹部的蜡腺分泌的蜡筑成。

chūn tiān dào le bǎi huā shèng kāi xīn qín de mì fēng men yòu kāi shǐ bēn
春天到了,百花盛开,辛勤的蜜蜂们又开始奔
bō máng lù le fù zé xún zhǎo mì yuán de zhēn chá xiǎo fēn duì wèi le xún
波忙碌了。负责寻找蜜源的“侦察小分队”为了寻
zhǎo dào gèng duō gèng hǎo de huā mì kě yǐ fēi dào jǐ qiān mǐ yuǎn de dì fang
找到更多更好的花蜜,可以飞到几千米远的地方。
tā men zhǎo dào mì yuán hòu mǎ shàng fēi huí fēng cháo
它们找到蜜源后马上飞回蜂巢,
děng jiàn dào qí tā de tóng bàn jiù tiào qǐ
等见到其他的同伴就跳起

蜜蜂可以传播花粉。

正在采蜜的蜜蜂

wǔ lái qí shí zhè shì tā men zài gào su huǒ bàn men mì yuán zài nǎ lǐ rú
舞来。其实，这是它们在告诉伙伴们蜜源在哪里。如

guǒ tā men tiào qǐ yuán xíng wǔ jiù shì gào su tóng bàn mì yuán lí jiā hěn jìn
果它们跳起圆形舞，就是告诉同伴蜜源离家很近；

xiāng fǎn rú guǒ tiào zì wǔ jiù biǎo shì mì yuán zài lí jiā hěn yuǎn
相反，如果跳“8”字舞，就表示蜜源在离家很远

de dì fang qí tā de gōng fēng kàn dào huǒ bàn de wǔ zī jiù chéng
的地方。其他的工蜂看到伙伴的舞姿，就成

qún jié duì de fēi dào nà lǐ qù cǎi qǔ huā mì
群结队地飞到那里去采取花蜜。

蜜蜂

蜜蜂在收集花粉时，其后足会变成“花粉篮”。

蜜蜂通过跳舞来告诉同伴蜜源的位置。

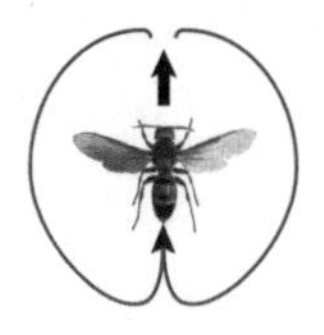

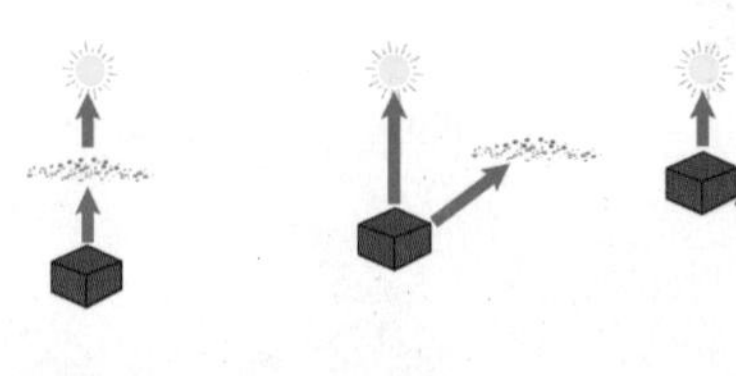

智慧小考官

蜜蜂是怎样采蜜的?

蜜蜂采蜜时，会停在花朵的中央，伸出像管子一样的舌头；舌头一伸一缩，花蜜就会被舌头上的“蜜匙”吸入，然后顺着舌头流入胃里的蜜囊。它们直到把蜜囊装满才会收工。

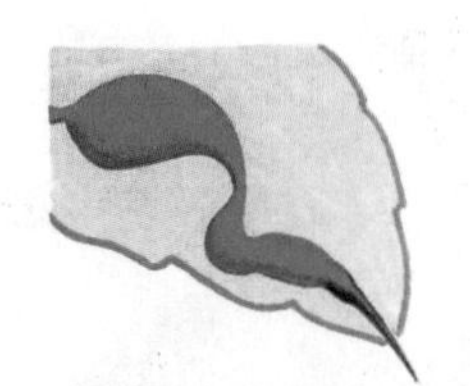

工蜂会用螯针来保护自己。

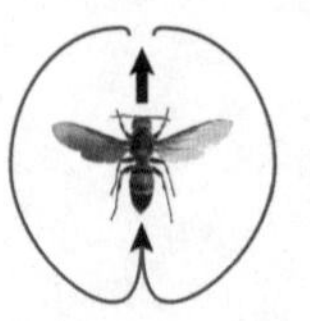

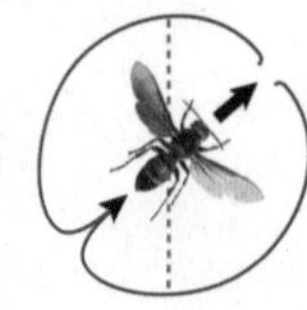

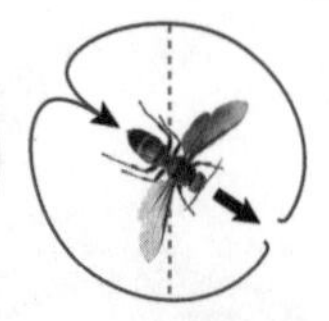

hú dié yǔ máo máo chóng yǒu shén me guān xì

蝴蝶与毛毛虫有什么关系?

蝴蝶

漂亮的蝴蝶

hú dié shì zuì měi lì de kūn chóng zhī yī tā men zhǒng lèi
蝴蝶是最美丽的昆虫之一,它们种类
fán duō xíng tài gè yì zài huā yuán li piān
繁多,形态各异,在花园里翩
piān qǐ wǔ shí zhēn shì měi jí le kě shì nǐ zhī
翩起舞时,真是美极了。可是你知
dào ma hú dié bìng bú shì shēng xià lái jiù zhè
道吗?蝴蝶并不是生下来就这
yàng piào liang de xiǎo shí hou tā men kě shì yàng zi chǒu chǒu de máo
样漂亮的,小时候,它们可是样子丑丑的毛
máo chóng hú dié cóng xiǎo dào dà yào jīng lì sì gè jiē duàn xiān
毛虫。蝴蝶从小到大要经历四个阶段:先

样子可怕的毛毛虫以后会变成美丽的蝴蝶。

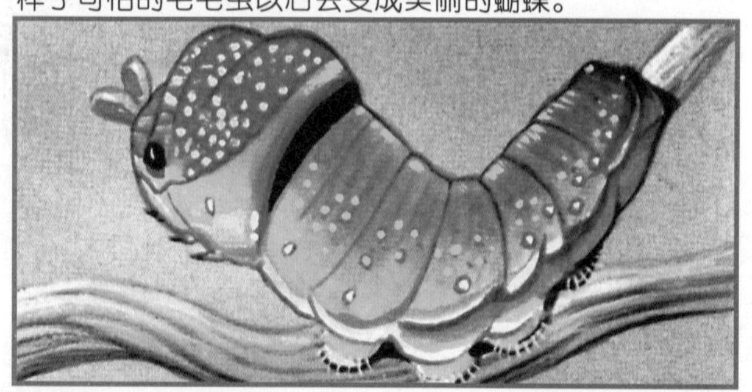

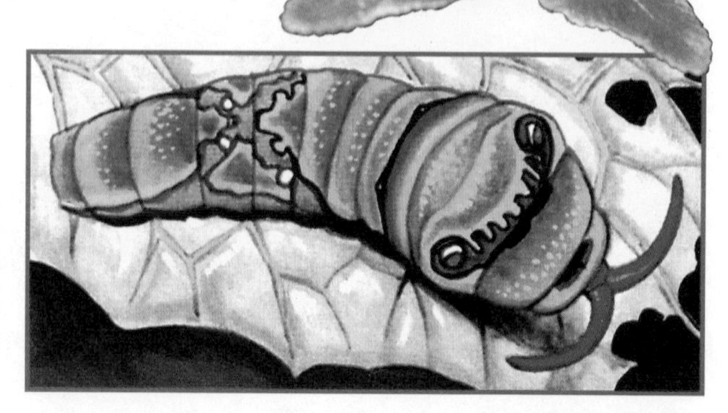

shì yì méi xiǎo xiǎo de luǎn hòu lái luǎn yòu fū huà chéng máo máo chóng guò shàng yí
是一枚小小的卵；后来，卵又孵化成毛毛虫；过上一

duàn shí jiān máo máo chóng yòu huì biàn chéng yǒng zuì hòu cóng yǒng li fēi chū lái de
段时间，毛毛虫又会变成蛹；最后从蛹里飞出来的

cái shì piào liang de hú dié cóng máo máo chóng dào hú dié zhēn shì chǒu xiǎo yā
才是漂亮的蝴蝶。从毛毛虫到蝴蝶，真是丑小鸭

biàn chéng bái tiān é le
变成白天鹅了！

智慧小考官

蝴蝶对人类有益还是有害?

这个问题还真不好回答。因为我们平时见到的蝴蝶能通过飞行传播花粉，对植物的生长繁殖有帮助，所以是益虫；可是，它们的幼虫——毛毛虫，却以幼嫩的植物叶片、茎干为食，会对许多农作物造成严重的危害，所以是害虫。

蝴蝶的发育过程

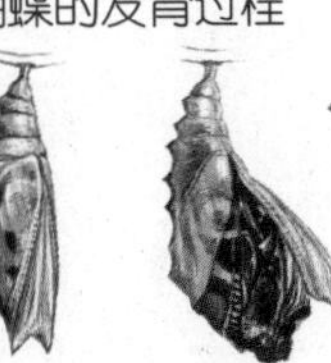

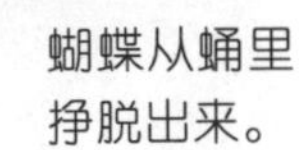

蝴蝶从蛹里挣脱出来。

wū guī wèi shén me néng cháng shòu

乌龟为什么能长寿？

zài dòng wù wáng guó li wū guī bèi rèn wéi shì chángshòu guàn jūn
在动物王国里，乌龟被认为是长寿冠军。
zhè yǔ tā de shēng huó xí xìng hé shēng lǐ jī néng yǒu guān xì jiān yìng de guī jiǎ shǐ wū
这与它的生活习性和生理机能有关系。坚硬的龟甲使乌
guī de tóu fù sì zhī hé wěi ba dōu néng dé dào hěn hǎo de bǎo hù wū guī hái yǒu shì shuì de
龟的头、腹、四肢和尾巴都能得到很好的保护。乌龟还有嗜睡的
xí xìng jì yào dōng mián yòu yào xià mián yì nián yào shuì shàng hǎo jǐ gè yuè
习性，既要冬眠又要夏眠，一年要睡上好几个月。
zhè qī jiān xīn chén dài xiè fēi cháng huǎn màn néng liàng xiāo hào jí shǎo lìng wài
这期间新陈代谢非常缓慢，能量消耗极少。另外，

美丽的绿海龟

乌龟爬得可真慢。

海龟是乌龟的同类，也能长寿。

wū guī de xīn zàng jī néng jiào qiáng zhè duì wū guī de cháng shòu
乌龟的心脏机能较强，这对乌龟的长寿

qǐ zhe zhòng yào zuò yòng dòng wù xué jiā men fā xiàn wū guī
起着重要作用。动物学家们发现，乌龟

cháng shòu de mì mì yě yǔ tā dú tè de hū xī fāng shì hé huǎn
长寿的秘密也与它独特的呼吸方式和缓

màn de xì bāo fēn liè yǒu guān xì ne
慢的细胞分裂有关系呢。

想知道我长寿的秘密吗？

陆龟

智慧小考官

乌龟为什么要背着重重的壳呢？

乌龟总是背着重重的壳，这可是它自我保护的手段之一。乌龟没有什么防御的手段，跑得又不快，当遇到敌人时，它就会把头和四肢都缩到硬壳里，这样也可以保护自己的身体。

这只龟的壳又厚又重。

龟每年要睡上很长时间。

wèi shén me è yú huì liú yǎn lèi

为什么鳄鱼会流眼泪?

xiōng měng de è yú zài cán rěn de tūn shí ruò xiǎo dòng wù de
凶猛的鳄鱼在残忍地吞食弱小动物的
shí hou cháng cháng huì liú yǎn lèi rén men jù cǐ rèn wéi tā hěn
时候，常常会流眼泪。人们据此认为它很
xū wěi suǒ yǐ yòng è yú de yǎn lèi biǎo shì jiǎ cí bēi bìng yòng liú lèi de
虚伪，所以用“鳄鱼的眼泪”表示假慈悲，并用“流泪的
è yú dài chēng nà xiē xū wěi de huài rén qí shí è
鳄鱼”代称那些虚伪的坏人。其实，鳄
yú liú lèi shì yì zhǒng zì rán de shēng lǐ xiàn xiàng zhè
鱼“流泪”是一种自然的生理现象，这
zhǐ shì tā zài pái xiè tǐ nèi duō yú de yán fèn yīn
只是它在排泄体内多余的盐分。因
wèi tā de shèn gōng néng bù wán shàn wú fǎ tōng guò niào
为它的肾功能不完善，无法通过尿
yè pái xiè tǐ nèi de yán fèn yě bù néng tōng guò chū
液排泄体内的盐分，也不能通过出

鳄鱼在晒太阳和产卵时才爬上陆地，其他时候都在水中生活。

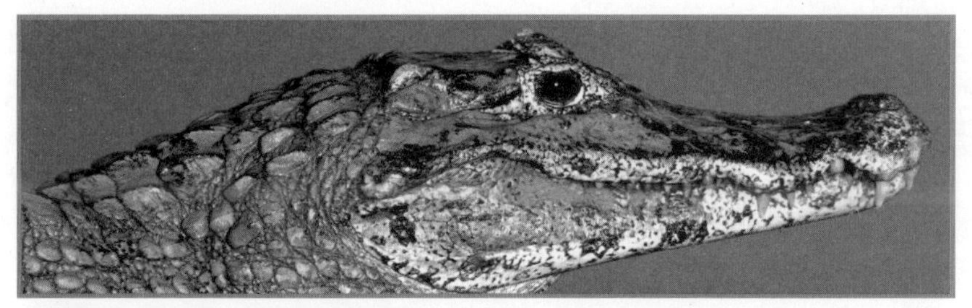
湾鳄是世界上最大、最危险的鳄鱼，雄鳄身长可达 10 米。

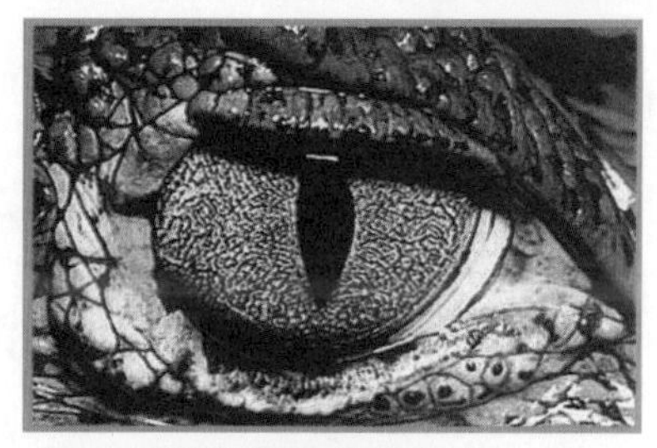
白天，鳄鱼的瞳孔收缩得很小。

hàn pái yán suǒ yǐ yán fèn zhǐ néng tōng guò yì zhǒng yǎn jing fù jìn de yán xiàn pái chū lái dāng zhè
汗排盐，所以盐分只能通过一种眼睛附近的盐腺排出来。当这
xiē yán fèn pái xiè chū lái shí jiù hǎo xiàng è yú zài
些盐分排泄出来时，就好像鳄鱼在
liú lèi yí yàng
流泪一样。

天气热的时候，鳄鱼要张着嘴巴散热。

智慧小考官

别的动物会流泪吗？

我们人类在悲痛和高兴的时候会流泪，眼睛里掉入灰尘时也会流泪。牛和马在被牵进屠宰场时，眼睛会涌出大量的泪水，样子非常可怜，可能它们已预感到了自己悲惨的命运吧。爬行类、鸟类和哺乳类动物一般会流泪，其他动物不会流泪。

猜猜看，还有谁会流泪？

马 ☑
牛 ☑
蜗牛 ☐
蚂蚁 ☐

wèi shén me tuó niǎo bú huì fēi
为什么鸵鸟不会飞?

刚出生的小鸵鸟也比其他鸟大得多。

tuó niǎo shēng huó zài guǎng kuò de fēi zhōu cǎo yuán shang tā suī rán shì
鸵鸟生活在广阔的非洲草原上，它虽然是
niǎo lèi de yì zhǒng què bù néng xiàng qí tā de niǎo er yí yàng zhǎn chì fēi xiáng
鸟类的一种，却不能像其他的鸟儿一样展翅飞翔。
qí shí zuì zǎo de tuó niǎo shì huì fēi de dàn shì tā men cháng qī qún jū zài
其实最早的鸵鸟是会飞的，但是它们长期群居在
cǎo yuán dì dài zhǔ yào yǐ qīng cǎo wéi shí yǒu shí chī yì xiē xiǎo xíng bǔ rǔ dòng
草原地带，主要以青草为食，有时吃一些小型哺乳动
wù hé pá xíng dòng wù suǒ yǐ hěn shǎo yǒu jī huì fēi shàng lán tiān chì bǎng yě
物和爬行动物，所以很少有机会飞上蓝天，翅膀也
jiù tuì huà de yuè lái yuè xiǎo bìng zhú jiàn shī qù le fēi xíng de néng lì
就退化得越来越小，并逐渐失去了飞行的能力。

鸵鸟

鸵鸟只能以快速的奔跑来代替飞行。

bìng qiě tuó niǎo hái shì gè dà kuài tóu tā de tǐ zhòng kě dá qiān kè yǐ shàng shēn gāo yǒu liǎng
并且，鸵鸟还是个大块头，它的体重可达100千克以上，身高有两
mǐ duō xiàng zhè yàng zhòng de shēn tǐ yào xiǎng fēi qǐ lái yě bú shì yí jiàn róng yì de shì
米多，像这样重的身体，要想飞起来，也不是一件容易的事。

智慧小考官

鸵鸟的翅膀有什么用?

鸵鸟的翅膀虽然不能飞，但是却很有用。鸵鸟跑得很快，在奔跑时，它可以张开翅膀以保持平衡，也可以只展开一边的翅膀来帮助拐弯。下雨时，鸵鸟妈妈的翅膀还可以为小鸵鸟挡雨呢！

鸵鸟是非洲草原上鸟类中的“大块头”。

鸵鸟的翅膀已经退化，无法飞行。

鸵鸟的翅膀可以为宝宝们挡风遮雨。

wèi shén me yīng wǔ huì xué shé

为什么鹦鹉会学舌?

yīng wǔ yě jiào yīng gē jīng guò rén lèi de tè shū xùn liàn yīng wǔ bù jǐn kě yǐ zuò chū gè zhǒng gāo nán dù de dòng zuò hái huì mó fǎng rén shuō huà ne yuán lái zài yīng wǔ de hóu lóng li kòng zhì míng jiào de jī ròu tè bié fā dá néng shǐ yīng wǔ fā chū qīng xī de shēng diào yīng

鹦鹉也叫鹦哥，经过人类的特殊训练，鹦鹉不仅可以做出各种高难度的动作，还会模仿人说话呢！原来，在鹦鹉的喉咙里，控制鸣叫的肌肉特别发达，能使鹦鹉发出清晰的声调；鹦

金刚鹦鹉

凤头鹦鹉

鹦鹉夫妇也很恩爱。

wǔ de shé tou yòu xì yòu cháng ér qiě róu ruǎn
鹉的舌头又细又长，而且柔软
líng huó suǒ yǐ néng gòu jiào chū hěn qí tè de
灵活，所以能够叫出很奇特的
shēng yīn yīng wǔ de jì yì lì yě hěn
声音；鹦鹉的记忆力也很
hǎo yīn cǐ tā néng gòu wéi miào wéi xiào de mó
好，因此它能够惟妙惟肖地模
fǎng rén lèi de yǔ yán xùn liàn yīng wǔ xué shuō huà yì bān yīng
仿人类的语言。训练鹦鹉学说话，一般应
gāi xuǎn zé zài qīng chén huò bǐ jiào ān jìng de huán jìng li kāi shǐ
该选择在清晨或比较安静的环境里，开始
shí xuǎn zé jiǎn dān de duǎn jù
时选择简单的短句，
fǎn fù xùn liàn yì bān
反复训练。一般
yí jù huà yì zhōu zuǒ yòu
一句话一周左右
yīng wǔ jiù néng xué huì
鹦鹉就能学会。
bù guò yīng wǔ xué shé
不过，鹦鹉学舌
de cí huì liàng yǒu xiàn
的词汇量有限。

鹦鹉

智慧小考官

鹦鹉家族中谁的模仿能力最强？

全世界大概有330多种鹦鹉，其中模仿能力最强的是非洲灰鹦鹉中的雄鸟，据说它能学会800多个单词，当然这是需要人用极大的耐心加以训练的。现在野生的非洲灰鹦鹉已经非常少见了。

鹦鹉大多生活在热带和亚热带森林里。

鹦鹉的羽色非常丰富。

kǒng què wèi shén me yào kāi píng

孔雀为什么要开屏？

kǒng què shì niǎo lèi wáng guó zhōng zuì měi lì de yì yuán, xióng kǒng què de wěi píng zhǎn kāi shí jiù xiàng yì zhāng dà dà de shàn miàn, xuàn lì duó mù. bú guò, kǒng què kāi píng kě bú shì wèi le xuàn yào tā de měi lì, ér shì wèi le qiú ǒu. měi dào fán zhí jì jié, xióng kǒng què cháng cháng huì shù

孔雀是鸟类王国中最美丽的一员，雄孔雀的尾屏展开时就像一张大大的扇面，绚丽夺目。不过，孔雀开屏可不是为了炫耀它的美丽，而是为了求偶。每到繁殖季节，雄孔雀常常会竖

孔雀羽毛上的圆斑

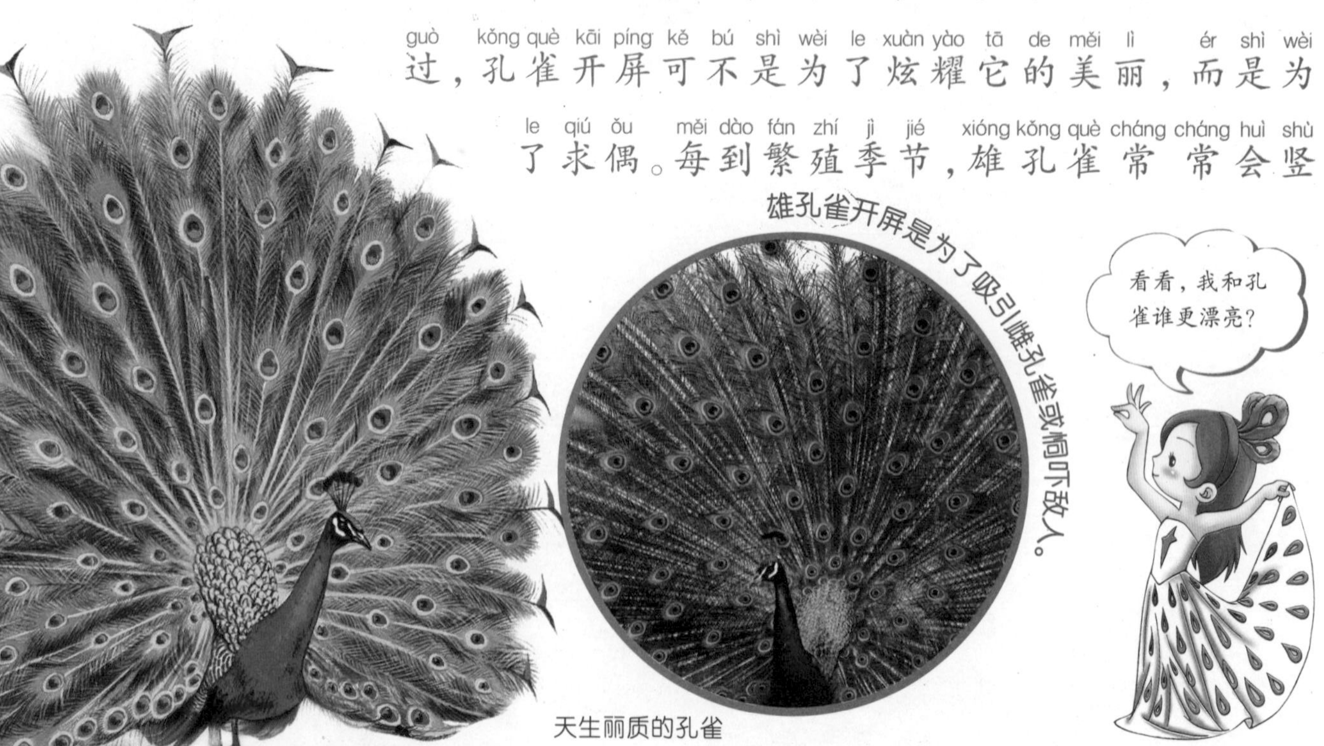

天生丽质的孔雀

qǐ wěi píng piān piān qǐ wǔ yǐ zhào huàn cí kǒng què lìng
起尾屏，翩翩起舞，以召唤雌孔雀。另
wài kǒng què kāi píng hái yǒu dòng hè dí rén de zuò yòng yīn wèi
外，孔雀开屏还有恫吓敌人的作用，因为
wěi píng zhǎn kāi hòu shàng miàn huì chū xiàn yí gè gè xiān míng yàn
尾屏展开后，上面会出现一个个鲜明艳
lì de yuán bān jiù xiàng yì zhī zhī dèng dà de yǎn jing dí rén
丽的圆斑，就像一只只瞪大的眼睛，敌人
yí kàn jiù huì bèi xià zhù zài dòng wù yuán li kǒng què yǒu shí
一看就会被吓住。在动物园里，孔雀有时
huì bǎ wéi guān de yóu kè dàng chéng dí rén
会把围观的游客当成敌人，
yīn cǐ yě huì kāi píng shì wēi
因此也会开屏示威。

雄孔雀的尾巴很长，所以只能在树上睡觉。

孔雀的种类很多。

智慧小考官

雌孔雀也会开屏吗?

动物界中大都是雄的比雌的漂亮，孔雀也是这样，雄性较美丽，而雌性却其貌不扬。雌孔雀并没有雄孔雀那样漂亮的大尾巴，并且它们也不会开屏。

雌孔雀没有雄孔雀那样漂亮的尾屏，也不会开屏。

dài shǔ mā ma wèi shén me zhǎng zhe kǒu dai
袋鼠妈妈为什么长着口袋？

cóng dài shǔ de míng zi wǒ men jiù kě yǐ zhī dào, tā men shēnshang yǒu gè kǒu dai。zhè gè kǒu dai jiào zuò yù ér dài, zhǎng zài dài shǔ de dù zi qián miàn, yóu yì gēn dài gǔ zhī chēng zhe。zhè gè dài zi shì yòng lái bǔ yù xiǎo dài shǔ de。xiǎo dài shǔ shēng xià lái shí, shēn cháng bú dào liǎng lí mǐ, tǐ zhòng bú dào kè, hòu tuǐ hái bèi tāi mó guǒ zhe, gēn běn bú xiàng shòu

从袋鼠的名字我们就可以知道，它们身上有个口袋。这个口袋叫做育儿袋，长在袋鼠的肚子前面，由一根袋骨支撑着。这个袋子是用来哺育小袋鼠的。小袋鼠生下来时，身长不到两厘米，体重不到1克，后腿还被胎膜裹着，根本不像兽

袋鼠的弹跳能力很强。

只有袋鼠妈妈肚子上有育儿袋，袋鼠爸爸没有。

小袋鼠在妈妈的袋囊里安稳地睡觉。

类，活像一条小蚯蚓。还未发育完全的小袋鼠要想在自然环境中存活下来并不容易，好在袋鼠妈妈有个育儿袋，小袋鼠会爬进育儿袋里，叼住妈妈的乳头不放，在里面生活约230天，才离开母体。

小袋鼠真幸福啊，袋鼠妈妈的大口袋里好暖和！

小袋鼠在妈妈的袋子里要待很长时间，才能独立生活。

袋鼠看起来很温顺，实际上非常好斗。

小袋鼠长大一些后，会把头钻进妈妈的育儿袋里喝奶。

智慧小考官

袋鼠妈妈一年会生几个小宝宝？

袋鼠每年生殖一两次，小袋鼠在受精30～40天后出生。袋鼠妈妈可以同时拥有一只在袋外的小袋鼠，一只在袋内的小袋鼠和一只待产的小袋鼠。

běi jí xióng wèi shén me bú pà lěng
北极熊为什么不怕冷？

rú guǒ shuō qǐ é shì nán jí de zhǔ rén nà me běi
如果说企鹅是南极的主人，那么北
jí xióng wú yí jiù shì běi jí zhī wáng le běi jí xióng suī
极熊无疑就是北极之王了。北极熊虽
rán shēng huó zài hán lěng cì gǔ de běi jí dàn shì tā men què
然生活在寒冷刺骨的北极，但是它们却
mǎn bú zài hū běi jí xióng wèi shén me bú pà lěng ne yuán lái tā men shēn tǐ biǎo miàn de máo
满不在乎。北极熊为什么不怕冷呢？原来，它们身体表面的毛
kě fēn liǎng céng wài miàn yì céng máo zhí lì zhe bǐ jiào cū cāo néng bǎ zhào shè dào shēn shang de
可分两层：外面一层毛直立着，比较粗糙，能把照射到身上的
yáng guāng quán bù xī shōu lǐ miàn de yì céng shì duǎn ér xì mì de róng máo máo zhōng jiān chōng mǎn
阳光全部吸收；里面的一层是短而细密的绒毛，毛中间充满

刚出生的小北极熊使劲往妈妈怀里钻。

北极熊在冰天雪地里依然悠然自得。

北极熊一家

kōng qì yì yú xī shōu yáng guāng zhōng de
空气，易于吸收阳光中的
rè liàng běi jí xióng shēn tǐ de rè liàng
热量。北极熊身体的热量
yě bù róng yì sàn fā cóng ér bǎo chí tǐ
也不容易散发，从而保持体
wēn lìng wài běi jí xióng de pí xià zhǎng zhe
温。另外，北极熊的皮下长着
hòu hòu de zhī fáng céng yǒu lì yú zǔ gé yán hán suǒ yǐ
厚厚的脂肪层，有利于阻隔严寒，所以
zài hán lěng de tiān qì tā men yě yōu rán zì dé
再寒冷的天气，它们也悠然自得。

北极熊

北极熊全身都有很保暖的毛，所以不怕寒冷。

智慧小考官

北极熊在冰上行走为什么不会摔跟头？

北极熊长年累月在冰上行走，却不会摔跟头，这是因为北极熊的脚底下不是光光的肉垫，而长着一层密密的毛，这就增加了脚掌与冰面的摩擦力，所以它们不会摔跤。

北极熊在冰面上嬉戏。

dà xiàng de cháng bí zi yǒu shén me yòng

大象的长鼻子有什么用？

大象妈妈用鼻子爱抚自己的宝宝。

dà xiàng yǒu cháng cháng de bí zi zhè bí zi de yòng tú kě
大象有长长的鼻子，这鼻子的用途可
dà la dà xiàng bù jǐn yòng zhè cháng bí zi hū xī hé xiù wèi
大啦！大象不仅用这长鼻子呼吸和嗅味
dào hái yòng tā lái hē shuǐ bá cǎo zhāi shù yè yòng lái pēn shuǐ gěi zì jǐ xǐ zǎo bào qǐ kě
道，还用它来喝水、拔草、摘树叶；用来喷水给自己洗澡；抱起可
ài de xiǎo xiàng bǎo bǎo bǎ tā men dài huí jiā yòng lái bān yùn wù pǐn zài zhàn dòu shí duì dí rén
爱的小象宝宝，把它们带回家；用来搬运物品；在战斗时对敌人

大象用鼻子拔草。

大象用鼻子把
食物送入口中。

智慧小考官

大象用鼻子吸水为什么不会呛着？

大象用鼻子呼吸，同时也用鼻子吸水喝，不会呛着，这是因为大象鼻腔后面食道上方有一块软骨，当它用鼻子吸水时，软骨就会把气管口盖起来，这样，水就不会进到它的肺里，它也就不会呛到了。

jìn xíng gōng jī　yòng lái jiāo liú gǎn qíng　chuán sòng xìn xī　jīng
进行攻击；用来交流感情、传送信息。经
guò xùn liàn de dà xiàng　shèn zhì néng yòng bí zi wò zhù kǒu qín
过训练的大象，甚至能用鼻子握住口琴
chuī qǔ zi　yuán lái　dà xiàng de cháng bí zi shì yóu jìn
吹曲子。原来，大象的长鼻子是由近4
wàn kuài fù yǒu tán xìng de xiǎo jī ròu zǔ chéng de　suǒ yǐ tā
万块富有弹性的小肌肉组成的，所以它
néng jí líng huó de shēn suō　zuò chū gè zhǒng líng qiǎo de dòng zuò
能极灵活地伸缩，做出各种灵巧的动作。

笨重的大象会游泳呢！

大象的长鼻子有很多种用途。

luò tuo wèi shén me néng nài kě
骆驼为什么能耐渴?

luò tuo jiù xiàng shā mò zhōng de yí yè yè xiǎo chuán zài zhe rén hé huò wù
骆驼就像沙漠中的一叶叶小船,载着人和货物,
suǒ yǐ bèi rén men xíng xiàng de chēng wéi shā mò zhī zhōu zài yán rè ér yòu
所以,被人们形象地称为“沙漠之舟”。在炎热而又
gān hàn de è liè huán jìng zhōng wèi shén me luò tuo què néng shēng huó de zì yóu zì
干旱的恶劣环境中,为什么骆驼却能生活得自由自
zài ne yuán lái luò tuo shì fáng shǔ kàng hàn de gāo shǒu tā de shēn shang yǒu yì
在呢?原来,骆驼是防暑抗旱的高手,它的身上有一
céng hòu hòu de pí máo jiù xiàng máo zhān yí yàng néng dǐ kàng tài yáng de bào shài
层厚厚的皮毛,就像毛毡一样能抵抗太阳的暴晒,
yáng guāng zài dú là yě bú huì bǎ tā shài shāng lìng wài luò tuo hái
阳光再毒辣也不会把它晒伤。另外,骆驼还

双峰驼适合人们乘骑。

骆驼

骆驼被称为“沙漠之舟”。

yǒu tuó fēng kě yǐ zhù cún yíng yǎng hé shuǐ fèn tā yì bān
有驼峰可以贮存营养和水分。它一般

bù chū hàn ér qiě yì fēn zhōng cái hū xī cì suǒ yǐ
不出汗，而且一分钟才呼吸16次，所以

bú huì xiāo hào tài duō de shuǐ fèn
不会消耗太多的水分。

suǒ yǐ tā néng nài kě kàng shài chéng
所以，它能耐渴抗晒，成

wéi shā mò zhōng de yīng xióng
为沙漠中的英雄。

智慧小考官

骆驼的驼峰有什么用?

骆驼的驼峰就像仓库，里面贮藏着大量的脂肪。当骆驼在沙漠中进行长途旅行时，驼峰里的脂肪就会分解，变成有用的营养和水分。

骆驼皮毛较厚。

对生活在沙漠边缘的人来说，骆驼是最好的伙伴。

骆驼的头部

mǎ wèi shén me zhàn zhe shuì jiào
马为什么站着睡觉？

马的寿命一般为20年，最长可达30年。

wǒ men zhī dào niú hé yáng dōu shì tǎng zhe shuì jiào de kě mǎ què shì zhàn zhe shuì jiào tā men bù jué de zhè zhǒng shuì zī hěn lèi ma yuán lái mǎ de zǔ xiān shì yě mǎ shēng huó zài liáo kuò de dà cǎo yuán shang cháng cháng shòu dào měng shòu de xí jī yě mǎ méi yǒu jiān lì de wǔ qì wú fǎ hé měng shòu bó dòu suǒ yǐ bì xū děi měi shí měi kè dōu bǎo chí gāo dù jǐng tì tā men de gǎn jué qì guān hěn fā

我们知道牛和羊都是躺着睡觉的，可马却是站着睡觉，它们不觉得这种睡姿很累吗？原来，马的祖先是野马，生活在辽阔的大草原上，常常受到猛兽的袭击。野马没有尖利的武器，无法和猛兽搏斗，所以必须得每时每刻都保持高度警惕。它们的感觉器官很发

奔跑的马

历史上的马

NO.1
中马

NO.2
副马

NO.3
草原古马

NO.3
三趾马

马一般站着睡觉。

达，眼睛很大且位置高，脖子比较长，视野比较开阔，站着睡觉有利于及时发现危险，迅速逃走。马延续了祖先的这个习惯，睡觉也总是站着。

智慧小考官

为什么马走起路来会“咯嗒”响？

马每天都要走很多路，马蹄下面的肌肉很容易磨损，所以人们便在马蹄上钉了铁掌，把马蹄保护起来。这样，当马走路时，铁蹄就会和地面相碰，发出“咯嗒、咯嗒”的声音。

马蹄上一般钉有铁掌。

wèi shén me láng yǎn zài yè jiān huì fā guāng

为什么狼眼在夜间会发光?

头狼走在狼群的最前面。

shēn yè li zài kōng kuàng de cǎo yuán shang rén men cháng cháng huì tīng dào yí zhèn zhèn láng háo bìng kàn dào yuǎn chù yí duì duì lǜ sè de guāng diǎn kàn qǐ lái jiù hǎo xiàng yì kē kē bì lǜ de bǎo shí

深夜里，在空旷的草原上，人们常常会听到一阵阵狼嚎，并看到远处一对对绿色的光点，看起来就好像一颗颗碧绿的宝石。

qí shí nà shì láng de yǎn jing fā chū de guāng liàng láng de yǎn jing wèi shén me huì fā chū yíng yíng de lǜ guāng ne yuán lái zài láng de yǎn qiú dǐ bù yǒu xǔ duō

其实，那是狼的眼睛发出的光亮。狼的眼睛为什么会发出莹莹的绿光呢？原来，在狼的眼球底部有许多

狼的眼睛在夜间会聚集弱光。

狼群中有鲜明的等级制度，通常是一雌一雄两只狼充当头狼。

智慧小考官

狼为什么喜欢在晚上嗥叫?

深夜里,狼群会发出一阵阵的嗥叫声,听起来很可怕。其实嗥叫是狼群用来交流信息的一种方式。当狼群准备外出时,先要通过嗥叫传递信息,邀约同伴。在繁殖期间,它们还通过嗥叫来寻找配偶。

tè shū de jīng diǎn zhè xiē jīng diǎn jù yǒu hěn qiáng de fǎn shè guāng xiàn de néng lì dāng láng zài yè jiān chū lái huó dòng shí zhè xiē jīng diǎn jiù néng jiāng hěn duō jí wēi ruò fēn sàn de guāng jù jí qǐ lái rán hòu zài chéng shù de fǎn shè chū qù zhè yàng láng de yǎn jing kàn qǐ lái jiù shǎn shǎn fā guāng le

特殊的晶点,这些晶点具有很强的反射光线的能力。当狼在夜间出来活动时,这些晶点就能将很多极微弱、分散的光聚集起来,然后再成束地反射出去,这样,狼的眼睛看起来就闪闪发光了。

狼总是在夜间成群地去捕获猎物。

为什么大熊猫那么珍贵？

大熊猫有圆滚滚的体形、温驯的性格以及憨态可掬的行为举止，真是人见人爱。目前，世界上大熊猫的数量是很有限的，野生大熊猫仅

刚刚出生的熊猫幼仔

可爱的大熊猫

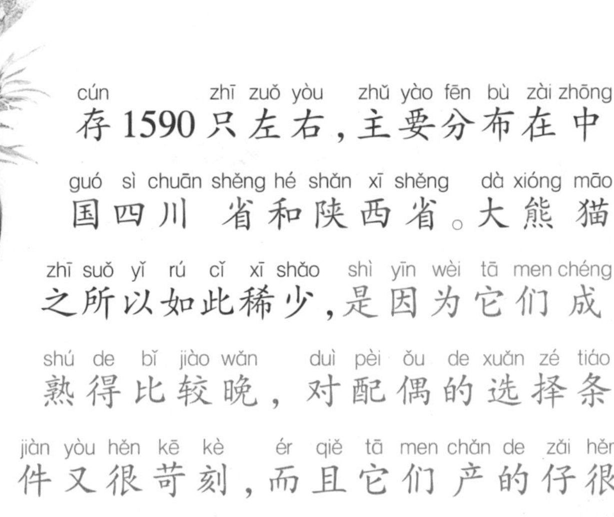

憨态可掬的大熊猫也会爬树。

存1590只左右，主要分布在中国四川省和陕西省。大熊猫之所以如此稀少，是因为它们成熟得比较晚，对配偶的选择条件又很苛刻，而且它们产的仔很少，成活率也不高。并且，目前适合熊猫生活的地方也越来越少，所以熊猫家族面临着严重的生存危机。

现存大熊猫的数量很少。

大熊猫被称为“活化石”。

智慧小考官

大熊猫为什么被称为“活化石”？

大熊猫是一种十分古老的动物，在距今100多万年前就已经存在了；而且大熊猫是世界上最珍贵的濒危动物之一，现存数量已经很少，所以被称为“活化石”。

lǎo hǔ de shēn shang wèi shén me yǒu tiáo wén
老虎的身上为什么有条纹？

东北虎

lǎo hǔ de shēn shang zhǎng zhe yì tiáo tiáo huā wén kàn shàng qù hěn piào liang lǎo
老虎的身上长着一条条花纹，看上去很漂亮。老
hǔ wèi shén me yào zhǎng zhè xiē tiáo wén shì bú shì wèi le chòu měi a shì shí kě bú
虎为什么要长这些条纹，是不是为了臭美啊？事实可不
shì zhè yàng lǎo hǔ shì wèi le yǎn hù
是这样。老虎是为了掩护
zì jǐ cái chuān shàng le zhè yì shēn mí cǎi fú yuán
自己，才穿上了这一身“迷彩服”。原
lái lǎo hǔ yì bān xí guàn zài huáng hūn de shí hou bǔ
来，老虎一般习惯在黄昏的时候捕
liè tā men pí máo shang de nà xiē tiáo wén zài xī yáng
猎，它们皮毛上的那些条纹在夕阳

老虎身上的条纹会起到掩护的作用。

老虎会出其不意地扑向猎物。

xià huì hé zhōu wéi zhí wù de yán sè hùn zá zài yì qǐ bù róng yì bèi tā men de
下会和周围植物的颜色混杂在一起，不容易被它们的
liè wù fā xiàn ér dāng xiǎo lù yě niú yě zhū děng chuǎng rù lǎo hǔ de
猎物发现。而当小鹿、野牛、野猪等闯入老虎的
dì pán bìng zài shuǐ biān hē shuǐ huò zài shù lín li chī cǎo shí lǎo hǔ jiù
地盘，并在水边喝水或在树林里吃草时，老虎就
kě yǐ tū rán xí jī bǎ liè wù dǎi gè zhèng zháo
可以突然袭击，把猎物逮个正着。

孟加拉虎

老虎喜欢在水中嬉戏玩耍。

通过摩擦，把气味留在树上，这是老虎占领地盘的方法之一。

智慧小考官

老虎是怎样占地盘的？

在老虎出没的丛林里，有时会在树干上发现老虎的爪印，这就是老虎为了占领地盘而做的记号。另外，老虎还会在此留下尿液或粪便，告诉同类这块地方已经被它占领了。

wèi shén me shuō māo yǒu jiǔ tiáo mìng

为什么说猫有“九条命”？

白天，猫的瞳孔会缩成一条线。

晚上，猫的瞳孔张得很大。

māo cóng hěn gāo de dì fang tiào xià lái dōu bú huì shuāi sǐ
猫从很高的地方跳下来都不会摔死，
suǒ yǐ rén men shuō māo yǒu jiǔ tiáo mìng yě jiù shì shuō māo
所以人们说猫有“九条命”，也就是说猫
de mìng tè bié dà qí shí māo bìng bú shì mìng dà ér
的命特别大。其实猫并不是“命大”，而
shì tè shū de shēn tǐ jié gòu cái shǐ tā men yǒu zhè yàng de běn lǐng dāng māo cóng gāo chù tiào xià shí
是特殊的身体结构才使它们有这样的本领。当猫从高处跳下时，
yǎn jing huì hěn kuài de pàn duàn chū dì miàn de zhuàng kuàng zhǎo hǎo luò jiǎo diǎn wěi ba kě yǐ bāng zhù
眼睛会很快地判断出地面的状况，找好落脚点；尾巴可以帮助
shēn tǐ zài kōng zhōng bǎo chí píng héng jiǎo dǐ hòu hòu de ròu diàn
身体在空中保持平衡；脚底厚厚的肉垫

猫可以帮助人们消灭可恶的老鼠。

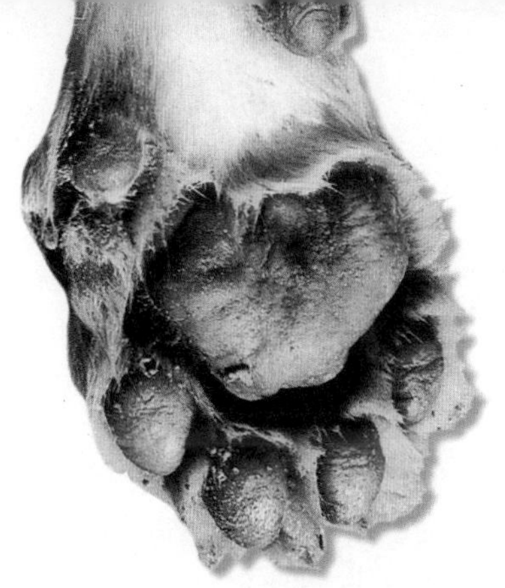

猫的脚底长着厚厚的肉垫。

kě yǐ zài māo luò dì shí qǐ dào huǎn chōng zuò yòng jiǎn shǎo zhèn dàng
可以在猫落地时起到缓冲作用，减少震荡。

yǒu le zhè xiē yǒu lì de tiáo jiàn māo jiù kě yǐ qīng yíng de fēi yán
有了这些有利的条件，猫就可以轻盈地飞檐

zǒu bì qù bǔ zhuō lǎo shǔ chéng wéi lái qù zì rú de xiá kè
走壁去捕捉老鼠，成为来去自如的“侠客”。

猫是人们很喜爱的宠物。

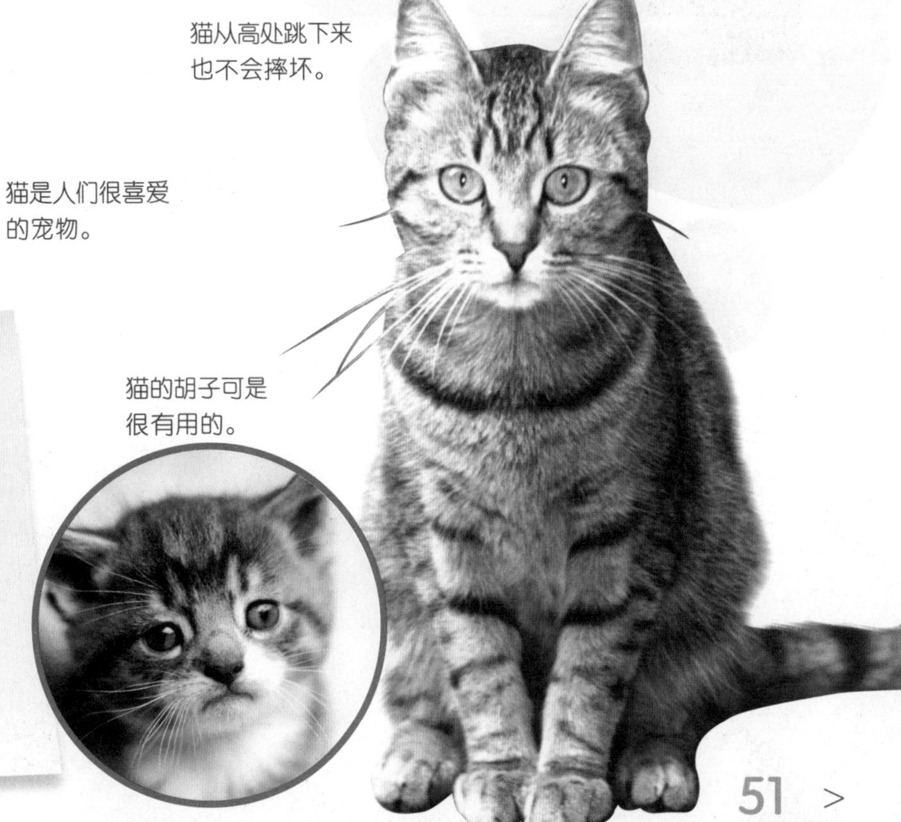

猫从高处跳下来也不会摔坏。

猫的胡子可是很有用的。

智慧小考官

猫的胡子有什么用处？

猫的胡子可有用了！猫在捉老鼠时，会用胡子来测量洞口的大小：如果胡子碰到洞口边，就说明洞口太小，会卡住身体；反之，猫就可以放心进洞进行追击。

wèi shén me dà xīng xing ài chuí dǎ xiōng pú
为什么大猩猩爱捶打胸脯？

大猩猩群中的首领因为背部的毛为白色，所以被称为“银背”。

dà xīng xing quán shēn zhǎng zhe hēi máo ér qiě mǎn liǎn de zhòu wén kàn shàng qù yǒu diǎn xià rén yóu qí shì tā yòng liǎng gè quán tóu chuí dǎ zhe zì jǐ de xiōng pú de shí hou gèng ràng rén jué de kě pà qí shí dà xīng xing de xìng gé hěn wēn xùn tā chuí dǎ zì jǐ de xiōng pú zhǐ shì yì zhǒng shì wēi de dòng zuò zài xiàng duì shǒu xiǎn shì zì jǐ de lì liàng bìng bú shì zhēn de xiǎng dǎ jià

大猩猩全身长着黑毛，而且满脸的皱纹，看上去有点吓人。尤其是它用两个拳头捶打着自己的胸脯的时候，更让人觉得可怕。其实，大猩猩的性格很温驯，它捶打自己的胸脯，只是一种示威的动作，在向对手显示自己的力量，并不是真的想打架。

大猩猩被称为“温和的森林巨人”。

观察有趣的植物

植物为我们提供氧气、食物等生活必需品，提供草药、木材等重要原料，并且，它们使大自然风光无限，使我们的环境美丽而清新。让我们一起走进变化万千、美丽神秘的植物王国，去认识它们，了解它们！

寄生的植物

zhí wù shì chī shén me zhǎng dà de

植物是吃什么长大的？

zhí wù hé rén yí yàng rú guǒ yào jiàn kāng de chéng zhǎng yě xū yào chī dōng xi bú guò zhí wù suǒ xū de shí wù dà dōu shì zì jǐ shēng chǎn de

植物和人一样，如果要健康地成长，也需要“吃”东西。不过，植物所需的“食物”大都是自己生产的。

zhí wù tǐ shang de yí piàn piàn yè zi jiù hǎo bǐ yí gè gè xiǎo gōng chǎng yè zi li de yè lǜ sù jiù shì yí gè gè xiǎo gōng rén yè lǜ sù néng lì yòng yáng guāng jiāng shuǐ hé èr yǎng huà tàn zhì chéng táng xiān wéi sù hé diàn fěn děng wù zhì zhè gè guò chéng jiù jiào zuò guāng hé zuò

植物体上的一片片叶子就好比一个个小工厂，叶子里的叶绿素就是一个个“小工人”。叶绿素能利用阳光将水和二氧化碳制成糖、纤维素和淀粉等物质，这个过程就叫做“光合作

在阳光下，植物生长得欣欣向荣。

植物从土壤中吸取营养。

植物也要有“食物”才能成长。

用”。植物除了吃自产的“食物”外，还要吃从土壤中汲取的水分以及碳、氢、氧、氮、磷、钾、钙、镁等多种矿物元素。

智慧小考官

所有的植物都能自己制造食物吗？

不是所有的植物都能自己制造食物，像菟丝子等寄生植物和水晶兰等腐生植物就不能自己制造食物。菟丝子长期依赖寄主生存，它的线状茎上的叶片已退化成了半透明的鳞片；而水晶兰则靠着腐烂的植物来获得养分。

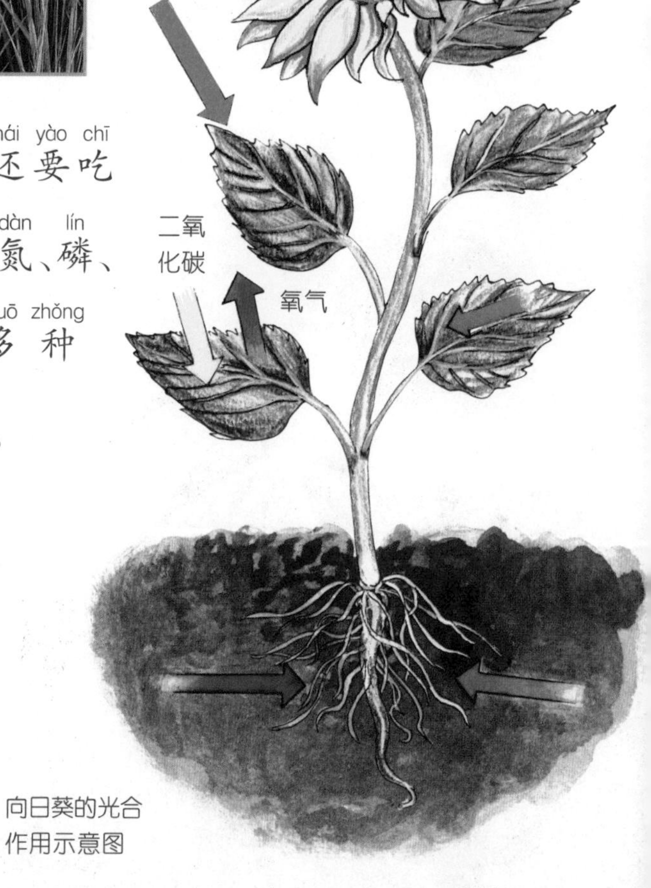

向日葵的光合
作用示意图

植物有没有好朋友？

鸟儿也是植物的好朋友。

不光我们人类有好朋友，每一种植物也都有自己的好朋友。比如，大豆和玉米就是好朋友，它们常常被农民伯伯种在一块儿。大豆的小幼苗怕晒太阳，高高的玉米苗就伸出援手，用自己又长又密的叶片来帮助它遮挡阳光。大豆的根部长着根瘤，其中的根瘤菌可以将空气中

蝴蝶授粉。

植物不能动，需要“朋友”的帮忙。

de dàn qì zhuǎn huà chéng dàn féi wèi le gǎn xiè yù mǐ de bāng zhù
的氮气转化成氮肥。为了感谢玉米的帮助，
dà dòu jiù jiāng zì jǐ zhì zào chū de dàn féi yuán yuán bú duàn de fēn
大豆就将自己制造出的氮肥源源不断地分
gěi yù mǐ xiǎng yòng shǐ tā néng gòu shēng zhǎng de gèng hǎo
给玉米享用，使它能够生长得更好。

玉米和大豆是好朋友。

小蜜蜂能帮花朵传粉。

蝴蝶也是花儿的好朋友。

智慧小考官

植物有动物朋友吗?

各种植物除了有自己的植物朋友外，还有小鸟、蜜蜂等动物朋友。小鸟帮大树捉虫子，大树请小鸟吃果实；植物的花朵要靠小蜜蜂来传粉，小蜜蜂可以从花朵那里得到香甜的蜜汁，等等。

植物会自己播种吗？

即将射出去的草种

植物很聪明，即使没有人类来帮忙，也能想到巧妙的办法把种子传播出去。例如，喷瓜成熟以后，会在果实里面产生大量的浆液，对果皮造成很大的压力，说不定什么时候在上面突然炸开一个洞来，使瓜里的种子像子弹一样射向四面八方。风露草

柳树借助风力播种。

三角草 ☑
椰子 ☑
钓船草 ☑
箦藻 ☑

看看哪些种子是靠着流水传播的！

智慧小考官

果实成熟后，为什么会往下掉？

果实成熟后，果实与树枝的结合部分逐渐裂开，又由于地球的吸引力，成熟的果实就会往下掉。

de zhǒng zi yī kào cháng máng de yì shēn yì suō néng zài dì miàn shang
的种子依靠长芒的一伸一缩，能在地面上
pá xíng dà dòu lǜ dòu wān dòu děng jiá guǒ chéng shú hòu huì
爬行。大豆、绿豆、豌豆等荚果成熟后，会
zì dòng zhà liè jiāng zhǒng zi tán shè dào yuǎn yuǎn de dì fang rán
自动炸裂，将种子弹射到远远的地方，然
hòu zài xīn de dì fang shēng gēn fā yá
后在新的地方生根发芽。

掉到地上的种子

zhǒng zi shì zěn me zhǎng chéng yòu miáo de

种子是怎么长成幼苗的?

yì kē xiǎo xiǎo de zhǒng zi yí dàn yù dào chōng zú de yáng guāng zú gòu de shuǐ fèn shì yí de wēn dù shī dù hé kōng qì cáng zài tā dù zi li de xiǎo shēng mìng pēi jiù kāi shǐ shēng zhǎng le pēi yī kào zhǒng zi zì jǐ yǐ jīng zhǔn bèi de yíng yǎng yòu bú duàn cóng tǔ rǎng zhōng xī shōu gè zhǒng yǎng fèn rán hòu nǔ lì shēng zhǎng zuì hòu zhōng yú jǐ pò róu rèn de wài yī zhǒng pí zhǎng chū nèn nèn de yòu yá tóng shí hái jiāng xì xì de xū

一颗小小的种子，一旦遇到充足的阳光，足够的水分，适宜的温度、湿度和空气，藏在它肚子里的小生命——胚就开始生长了。胚依靠种子自己已经准备的营养，又不断从土壤中吸收各种养分，然后努力生长，最后终于挤破柔韧的外衣——种皮，长出嫩嫩的幼芽，同时还将细细的须

种子发芽。

松树的种子包裹在坚韧的松塔中。

一颗小小的树种最终会长成一棵大树！

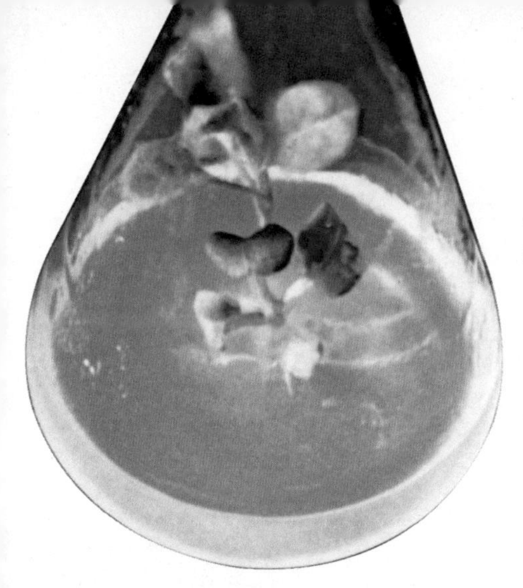

人工培育的烟草幼苗

gēn shēn dào ní tǔ zhōng nà nèn nèn de yòu yá suī rán kàn qǐ lái
根伸到泥土中。那嫩嫩的幼芽，虽然看起来

hěn róu ruò dàn shì què hěn yǒu shēng mìng lì tā bú duàn zhǎng gāo
很柔弱，但是却很有生命力，它不断长高，

zuì zhōng huì pò tǔ ér chū zhǎngchéng yì zhū jiē shi de yòu miáo
最终会破土而出，长成一株结实的幼苗。

正在发芽的幼苗

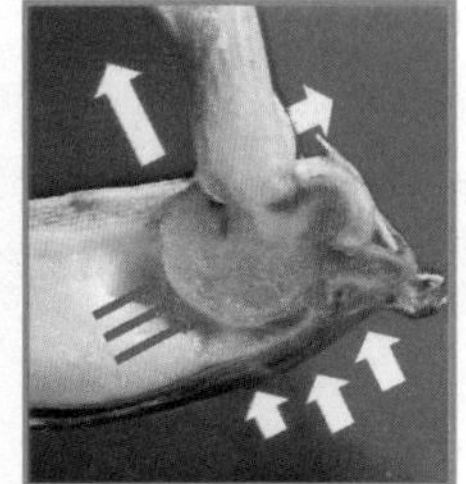

种子发芽示意图

为什么有人称种子为“大力士”？

种子被称为“大力士”，这可是名副其实的。别看植物的幼苗很柔弱，它最初萌发时具有不可思议的力量，常常会从石头缝里挤出来。如果许多种子一起发芽生长，它们能将盖在上面的大石头顶翻呢！

这些种子在发芽时具有惊人的力量。

幼苗为什么能长成大树?

正在成长的树林

小幼苗从泥土里钻出来以后，先直直身子，抖掉身上的泥土，然后拼命地从泥土里吸收水分和营养，于是，它的根越来越长，越来越粗，向四面八方伸展开，以便吸收更多的水分和营养，输送到茎干和叶子里去。同时，幼苗的叶子在阳光的照耀下，制造出各种营养物质，除了自

幼苗破土而出。

幼苗渐渐长高。

幼苗茁壮成长，茎叶也完全舒展开了。

经过多年以后，一株小苗能长成一棵参天大树。

jǐ xiǎng yòng wài yòu tí gōng gěi gēn jīng zhè yàng xiǎo miáo de gēn jiù néng yuè
己享用外，又提供给根、茎，这样，小苗的根就能越

zhǎng yuè dà yuè zhǎng yuè cháng jīng yě yuè zhǎng yuè cū yuè zhǎng yuè gāo
长越大，越长越长，茎也越长越粗，越长越高。

jīng guò hǎo duō nián yǐ hòu xiǎo miáo zuì zhōng huì zhǎng chéng yì kē dà shù
经过好多年以后，小苗最终会长成一棵大树。

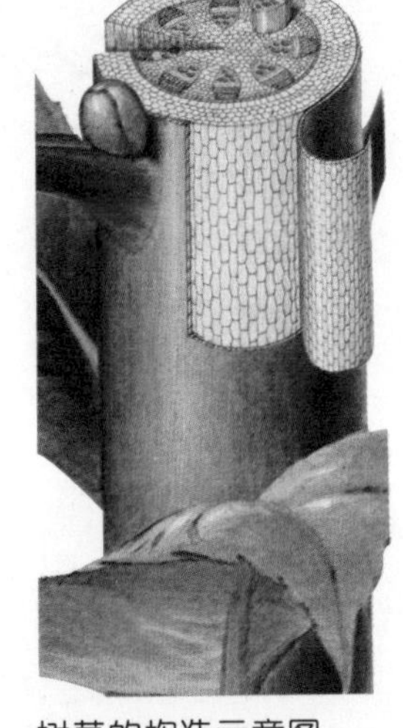

树茎的构造示意图

智慧小考官

植物能活多久呢？

在不受到外界影响时，木本植物能活很长时间，几十年、几百年甚至上千年，而草本植物则只能活一年或几年。大部分植物从小苗开始一直保持着生长，直到死亡，因此，植物能越长越高。

shù de nián líng zěn me kàn
树的年龄怎么看？

竹子是草本植物，所以没有年轮。

xiǎo shù yì nián yì nián de zhǎng chéng dà shù tā men yě shì yǒu nián líng de wǒ men zěn yàng cái néng zhī dào tā men de nián líng ne hěn jiǎn dān zhǐ yào shǔ yì shǔ shù gàn li de yuán quānquān jiù xíng le zhè xiē yuán quān quān de dà xiǎo gè bù xiāng tóng dà quān tào zhe xiǎo quān zhè xiē quān quān bèi chēng wéi shù mù de nián lún nián lún shì shù mù shòu shēng zhǎng jì jié de yǐng xiǎng chǎn shēng de suǒ yǐ yán

小树一年一年地长成大树，它们也是有年龄的！我们怎样才能知道它们的年龄呢？很简单，只要数一数树干里的圆圈圈就行了。这些圆圈圈的大小各不相同，大圈套着小圈，这些圈圈被称为树木的“年轮”。年轮是树木受生长季节的影响产生的，所以颜

树木的茎的结构示意图

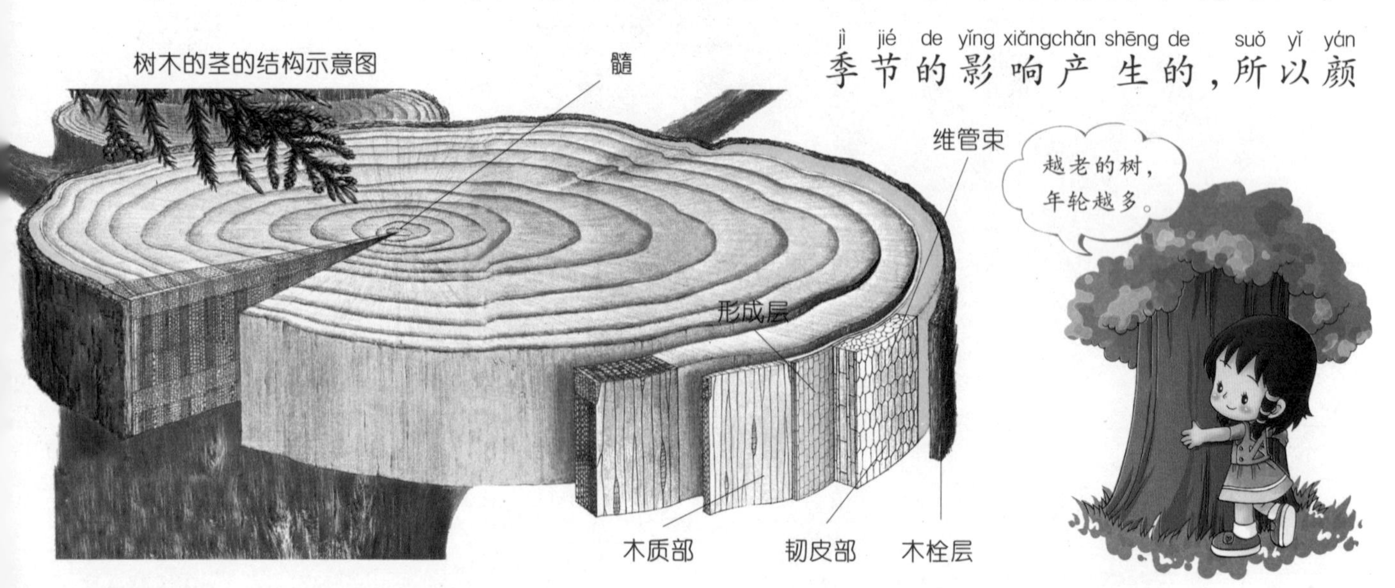

sè lüè yǒu bù tóng　yì bān　yí gè yuán quān dài biǎo shù mù yí
色略有不同。一般，一个圆圈代表树木一

suì　lǎo shù nián jì dà　shù gàn li de yuán quān jiù duō　xiǎo
岁。老树年纪大，树干里的圆圈就多；小

shù nián jì xiǎo　shù gàn li
树年纪小，树干里

de yuán quān jiù shǎo
的圆圈就少。

智慧小考官

所有的植物都有年轮吗?

当然不是啦！植物分为木本植物和草本植物，只有木本植物才有年轮；像含羞草、牵牛花等花花草草属于草本植物，它们是没有年轮的。

图为历史悠久的天坛九龙柏。

从年轮能看出树的年龄。

美丽的牵牛花是没有年轮的。

shù mù xū yào hū xī ma

树木需要呼吸吗？

hé suǒ yǒu de dòng wù jí rén lèi yí yàng shù mù yě shì
和所有的动物及人类一样，树木也是
xū yào hū xī de yīn wèi hū xī kě yǐ gěi tā men tí
需要呼吸的，因为呼吸可以给它们提
gōng shēng zhǎng suǒ xū de néng liàng a suī rán
供生长所需的能量啊。虽然
shù mù méi yǒu zhǎng bí kǒng dàn shì tā men yǒu
树木没有长鼻孔，但是它们有
hū xī de qì kǒng bú xìn nǐ yòng fàng dà jìng
呼吸的气孔，不信你用放大镜
zǐ xì kàn kàn tā men de yè piàn nà shàng miàn zhēn de yǒu
仔细看看它们的叶片，那上面真的有
xǔ xǔ duō duō de xiǎo kǒng ne yǎng qì èr yǎng huà tàn děng
许许多多的小孔呢！氧气、二氧化碳等

树木不能不呼吸。

叶片剖面图

qì tǐ jiù shì tōng guò zhè xiē xiǎo kǒng jìn jìn chū chū de lǜ
气体就是通过这些小孔进进出出的。绿

yè shang de xiǎo kǒng yě xiàng rén de bí kǒng yí yàng cóng lái bù
叶上的小孔也像人的鼻孔一样，从来不

guān bì suǒ yǐ shù mù men yě xiàng wǒ men yí yàng bù guǎn
关闭，所以树木们也像我们一样，不管

bái tiān hái shì yè wǎn shí shí kè kè dōu zài hū xī zhe xīn
白天还是夜晚，时时刻刻都在呼吸着新

xiān kōng qì
鲜空气。

智慧小考官

植物一直在呼出氧气吗？

不是的。光合作用是绿色植物特有的，植物进行光合作用时消耗二氧化碳而呼出氧气。植物的呼吸作用与人相同，都是消耗氧气、呼出二氧化碳。总体看，植物在进行光合作用和呼吸作用时，释放的氧气比释放的二氧化碳要多。

呼吸是植物生命活动的能量来源和物质基础。

树木只有呼吸新鲜空气，才会长得如此旺盛。

wèi shén me cǎo hé shù dōu shì lǜ sè de

为什么草和树都是绿色的?

绿叶

chūn tiān yí dào nèn nèn de xiǎo cǎo cóng yě dì li mào chū tóu lái shù
春天一到,嫩嫩的小草从野地里冒出头来,树
yè yě zhēng xiān kǒng hòu de cóng jīng gàn shang shēn zhǎn kāi lái zhè shí hou
叶也争先恐后地从茎干上伸展开来。这时候,
xiǎo cǎo hé shù yè yǐ jīng xī shōu le cóng gēn bù shū sòng lái de shuǐ fèn hé yíng
小草和树叶已经吸收了从根部输送来的水分和营
yǎng dāng tā men jiē shòu dào wēn nuǎn de yáng guāng shí jiù huì shēng chǎn chū yì
养,当它们接受到温暖的阳光时,就会生产出一

小草和树叶绿意盎然。

些绿色的小东西——叶绿素。叶绿素可以吸收和传递光能，是小草和树叶进行光合作用必不可少的物质。叶绿素还会使小草和树叶变绿。夏天，是小草和树叶生长的旺盛季节，它们的体内能不断生产出大量的叶绿素，因此，它们就变得越来越绿了。

如果没有绿叶，红花也会逊色不少。

智慧小考官

为什么暗处的幼苗呈现出嫩黄色？

小草和树叶只有在阳光的照耀下，才能产生叶绿素，呈现出绿色。如果没有阳光，植物就不会是绿色，所以在大树下或墙角处不见阳光的地方长出的幼苗是嫩黄色的。

秋天，温度降低，植物不能产生新的叶绿素，所以树叶会变黄。

wèi shén me yè zi de xíng zhuàng bù yí yàng

为什么叶子的形状不一样？

不同的植物，叶子的形状也不一样。

yè zi de xíng zhuàng yǒu hěn dà de chā yì　hé yè xiàng yuán yuán
叶子的形状有很大的差异。荷叶像圆圆
de tuō pán　yín xìng yè xiàng xiǎo xiǎo de shàn zi　fēng yè xiàng xiǎo péng yǒu
的托盘，银杏叶像小小的扇子，枫叶像小朋友
de shǒu zhǎng　zhè shì yīn wèi gè zhǒng zhí wù de yí chuán tè zhēng yǒu
的手掌……这是因为各种植物的遗传特征有
chā bié　bìng qiě　zhí wù shēng zhǎng huán jìng de bù tóng　yě jué dìng le
差别，并且，植物生长环境的不同，也决定了
tā men yè zi de bù tóng xíng zhuàng　gān zào hán lěng dì qū de zhí wù yè piàn bǐ jiào xiǎo　máo róng
它们叶子的不同形状。干燥寒冷地区的植物叶片比较小，毛茸
róng de　yán rè shī rùn dì qū de zhí wù yè zi bǐ jiào kuò dà　yě bǐ jiào guāng huá
茸的；炎热湿润地区的植物叶子比较阔大，也比较光滑。

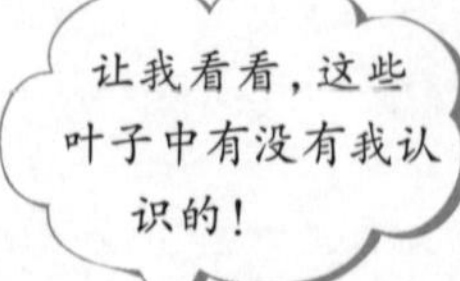

NO.1
掌裂叶

NO.2
掌状叶

NO.3
复叶

NO.4
椭圆形叶

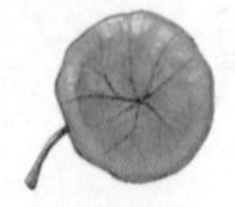

NO.5
圆形叶

NO.6
齿状叶

NO.7
针形叶

NO.8
戟形叶

yè piàn shang wèi shén me huì zhǎng jīn
叶片上为什么会长“筋”？

yè piàn shang nà xiē xiàng jīn yí yàng de dōng xi shì yè
叶片上那些像“筋”一样的东西是叶
piàn de mài wén chēng wéi yè mài měi yí piàn yè zi dōu
片的脉纹，称为“叶脉”。每一片叶子都
yǒu zì jǐ de mài wén tā men gè bù xiāng tóng guàn chuān
有自己的脉纹，它们各不相同，贯穿
zhe zhěng gè yè piàn kě bié xiǎo kàn zhè xiē yè mài tā
着整个叶片。可别小看这些叶脉，它
men de zuò yòng kě dà le bù jǐn bāng yè zi shū sòng shuǐ fèn wú jī yán shū chū guāng hé zuò yòng
们的作用可大了，不仅帮叶子输送水分、无机盐，输出光合作用
de chǎn wù hái zhī chēng zhe yè piàn shǐ tā men wán quán shēn zhǎn kāi xiǎn de píng píng zhěng zhěng de
的产物，还支撑着叶片，使它们完全伸展开，显得平平整整的。

叶片上的脉纹清晰可见。

平行叶脉

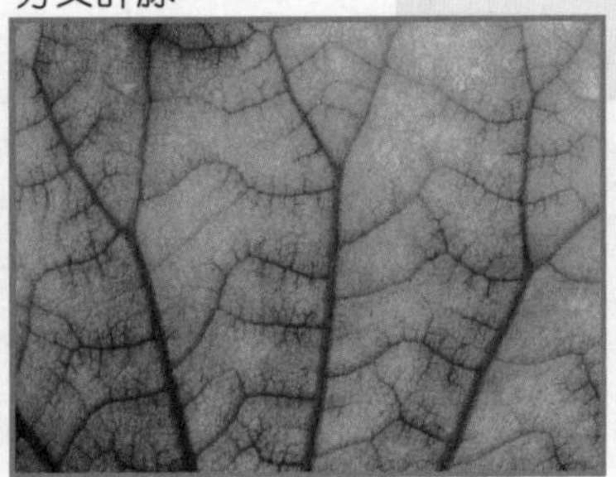
分叉叶脉

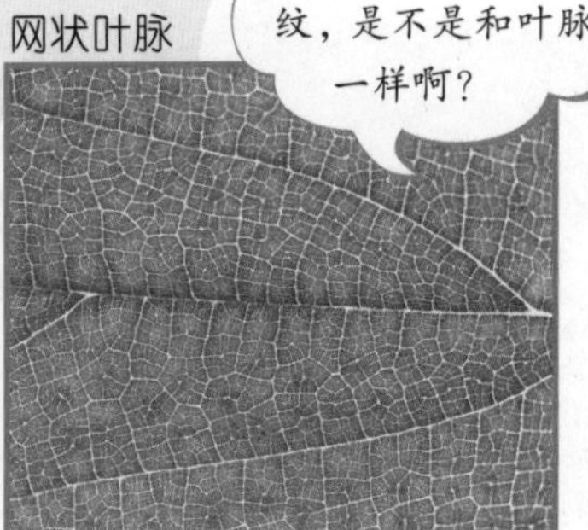
网状叶脉

wèi shén me shù mù zài qiū tiān huì luò yè

为什么树木在秋天会落叶？

松柏类植物到了冬天依然绿油油的。

jìn rù qiū tiān qì wēn jiàn jiàn xià jiàng kōng qì biàn de gān zào
进入秋天，气温渐渐下降，空气变得干燥
qǐ lái shù mù zhōng shuǐ fèn zhēng fā guò kuài ér shù gēn xī shōu shuǐ
起来，树木中水分蒸发过快，而树根吸收水
fèn de néng lì què zài jiǎn ruò wèi le shēng cún xǔ duō shù biàn fēn
分的能力却在减弱。为了生存，许多树便纷
fēn luò diào yè zi yáng shù wú tóng děng luò yè shù yīn wèi yè zi bǐ jiào kuān dà zhēng fā de shuǐ
纷落掉叶子。杨树、梧桐等落叶树因为叶子比较宽大，蒸发的水
fèn bǐ jiào duō bù néng shì yìng qiū dōng jì jié de gān zào tiān qì yīn cǐ yè zi jiù huì luò diào le
分比较多，不能适应秋冬季节的干燥天气，因此叶子就会落掉了。

大树的叶子掉到土里，被细菌分解后，又会变成大树的营养。

zhè yàng yì fāng miàn jiǎn shǎo tǐ nèi shuǐ fèn de zhēng fā yī fāng miàn yòu miǎn de bèi
这样一方面减少体内水分的蒸发，一方面又免得被

dòngshāng ér sōng bǎi lèi de zhēn yè shù shù yè zhēng fā de shuǐ fèn hěn shǎo
冻伤。而松柏类的针叶树，树叶蒸发的水分很少，

qiě yè zi de shòu mìng yě bǐ luò yè shù
且叶子的寿命也比落叶树

de yè zi cháng suǒ yǐ zài qiū tiān
的叶子长，所以在秋天

bù xū yào luò diào quán bù de
不需要落掉全部的

yè zi
叶子。

秋天的时候，树林里到处都是落叶。

智慧小考官

常绿树落叶吗？

别看常绿树保持着四季常青的样子，其实它们也要落叶，而且一年四季都在落。只不过它们每次落下的树叶很少，老叶子刚落下，新叶子又长出来了，人们不容易发现而已。

松叶

常绿的松柏

为什么秋天枫叶会变红？

美丽的红叶

叶子里面含有好几种色素，如绿色的叶绿素、红或蓝等色的花青素、黄色的类胡萝卜素等。进入秋天，温度降低，天气慢慢变冷，枫树叶子就不像在春天和夏天那样，不断产生新的叶绿素了；同时，老的叶绿素又不断地遭到破坏或分解，因此，叶子体内的叶绿素就越来越少。为了御

秋天，枫树的叶子变得火红一片，非常漂亮。

红叶与黄叶相映。

hán fēng yè bǎ diàn fěn zhuǎn huà wéi táng fèn dà liàng de táng
寒，枫叶把淀粉转化为糖分，大量的糖
fèn huì xíng chéng jiào duō de hóng sè huā qīng sù jiù zhè
分会形成较多的红色花青素。就这
yàng yè lǜ sù jiǎn shǎo huā qīng sù zēng duō fēng yè
样，叶绿素减少，花青素增多，枫叶
jiù gǎi biàn yuán xiān de lǜ sè chéng xiàn
就改变原先的绿色，呈现
chū yào yǎn de hóng sè le
出耀眼的红色了。

黄叶

还没有完全变黄的银杏叶

银杏叶

银杏叶在秋天为什么会变黄?

银杏叶在春天和夏天都是绿色的，而到了秋天，却会变成金灿灿的黄色，漂亮极了。这是因为到了秋天，银杏叶内的类胡萝卜素的含量超过了叶绿素，所以银杏叶会变成黄色。

为什么花有多种颜色？

wèi shén me huā yǒu duō zhǒng yán sè

花儿的颜色五彩斑斓，据科学家研究发现，这完全是类黄酮、花青素和类胡萝卜素在搞怪。目前，已发现的类黄酮有五六百种之多，不同种类的类黄酮能使花呈现出不同的颜色。而花青素随着酸碱度的变化也会使花分别呈现红色、紫色或者蓝色。另外，不同的类胡

黄色水仙花

花有各种美丽的颜色。

luó bo sù yòu shǐ huā er chéng xiàn chū huáng sè chéng
萝卜素又使花儿呈现出黄色、橙

sè huò zhě jú hóng sè yóu yú zhè jǐ zhǒng sè sù
色或者橘红色。由于这几种色素

zài huā bàn zhōng de hán liàng bù yí yàng zài jiā shàng
在花瓣中的含量不一样，再加上

shuǐ fèn rì zhào wēn dù de chà bié huā er biàn chéng
水分、日照、温度的差别，花儿便呈

xiàn chū gè zhǒng bù tóng de sè cǎi le
现出各种不同的色彩了。

白色的蝴蝶兰

蝴蝶喜欢色彩鲜艳的花朵。

不同色彩的郁金香

紫色的花朵

智慧小考官

为什么有些花会变颜色?

有些花在刚绽开的时候是一种颜色，而后来慢慢地变成另一种颜色了，这种现象和花瓣中的色素有关系。这些花瓣里的色素含量会随着温度、酸碱度等因素的变化而变化，所以花儿的颜色也就改变了。

花都有香味吗？

huā dōu yǒu xiāng wèi ma

一些花朵依靠艳丽的色彩就能吸引昆虫或小鸟来传粉。

小朋友，不是所有的花都有香味哦。香气是一些花朵为了吸引小昆虫来传粉而发出的信号。一些色彩素淡的花没有鲜艳色彩，就在花瓣里产生了一种叫做芳香油的物质，所以香味很浓。但是像杜鹃、玫瑰这些花，本来就拥有美丽鲜艳的颜色，没有必要再散发出香气，所以它们几乎没有香味。

一般颜色素淡一点的花比较香。

桂花常散发出宜人的清香。

无花果树

wú huā guǒ zhēn de bù kāi huā ma
无花果真的不开花吗？

无花果

nǐ shì bu shì jué de wú huā guǒ jiù
你是不是觉得“无花果”就
shì bù kāi huā ér jiē guǒ ne qí shí bú duì
是不开花而结果呢？其实不对，
wú huā guǒ yě shì yào kāi huā de yì bān de zhí
无花果也是要开花的。一般的植
wù zǒng shì jiāng huā duǒ shēn zhǎn de gāo gāo de lù chū huā
物总是将花朵伸展得高高的，露出花
guān cí ruǐ xióng ruǐ lái xī yǐn mì fēng hú dié chuán
冠、雌蕊、雄蕊来吸引蜜蜂、蝴蝶传
fěn ér wú huā guǒ de huā què jìng qiāo qiāo de cáng zài yí
粉；而无花果的花却静悄悄地藏在一
gè féi dà de huā tuō li yuán qiú shì de huā tuō jiāng huā duǒ
个肥大的花托里，圆球似的花托将花朵
cóng tóu dào jiǎo bāo de yán yán shí
从头到脚包得严严实
shí de zhǐ wèi chuán fěn de xiǎo chóng liú xià
实的，只为传粉的小虫留下
le yí gè xiǎo kǒng suǒ yǐ zǒng ràng rén yǐ wéi tā shì bù kāi huā de
了一个小孔，所以总让人以为它是不开花的。

无花果肥大的花托

wèi shén me shuǐ guǒ yǒu suān yǒu tián
为什么水果有酸有甜？

葡萄成熟以后含的糖分较多，吃起来比较甜。

bù tóng de shuǐ guǒ tā de suān tián wèi dào yě bù yí yàng yǒu de shuǐ guǒ hán
不同的水果，它的酸甜味道也不一样，有的水果含
yǒu táng lèi wù zhì chī qǐ lái jiù bǐ jiào tián yǒu de shuǐ guǒ hán yǒu suān lèi wù
有糖类物质，吃起来就比较甜；有的水果含有酸类物
zhì chī qǐ lái jiù bǐ jiào suān jí shǐ tóng shì hán táng de shuǐ guǒ hán táng liàng
质，吃起来就比较酸。即使同是含糖的水果，含糖量
bù yí yàng suān tián wèi dào yě bù yí yàng méi yǒu chéng shú
不一样，酸甜味道也不一样。没有成熟

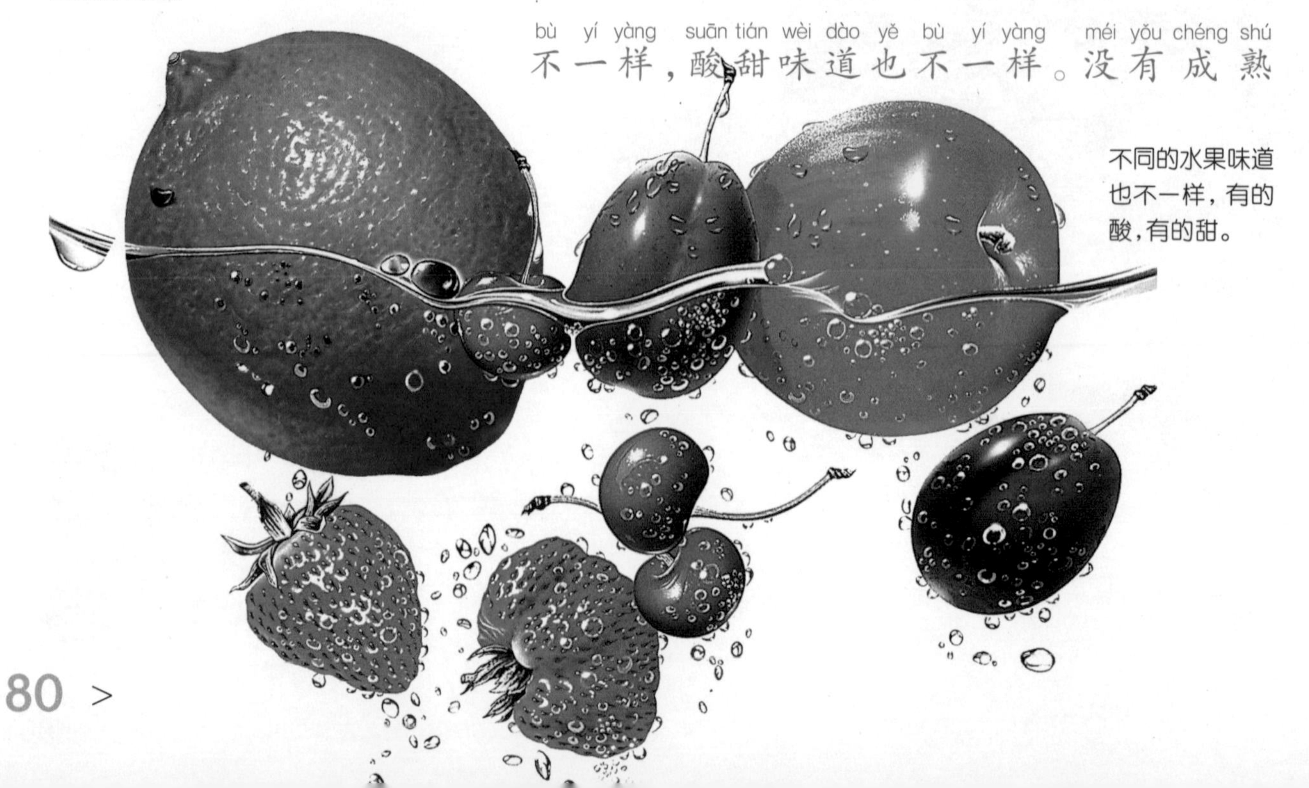
不同的水果味道也不一样，有的酸，有的甜。

de shuǐ guǒ tōng cháng huì hěn suān　yīn wèi dà duō shù shuǐ guǒ zài
的水果通常会很酸。因为大多数水果在

chéng shú zhī qián　guǒ ròu li dān níng suān hé yǒu jī suān de hán
成熟之前，果肉里单宁酸和有机酸的含

liàng bǐ jiào gāo　chī qǐ lái yě huì bǐ jiào suān　děng shuǐ guǒ
量比较高，吃起来也会比较酸。等水果

chéng shú le　guǒ ròu li táng de hán liàng tí gāo le　chī qǐ lái
成熟了，果肉里糖的含量提高了，吃起来

cái huì suān tián kě kǒu　bú guò　rú guǒ yǔ shuǐ duō le　guā guǒ
才会酸甜可口。不过，如果雨水多了，瓜果

jiù bú huì hěn tián
就不会很甜。

柠檬含有较多的酸性物质，所以它即使成熟了也非常酸。

看来，水果也喜欢阳光啊，这样它们才可以变甜！

阳光照射不充分，水果就会口感偏酸。

智慧小考官

为什么雨水多了，瓜果就不甜呢？

在水果成长的季节，如果阳光充足，天气干燥，水果就会比较甜。但如果常常是阴雨天气，水果就不甜了。因为在阴雨天，瓜果进行光合作用的能力比较弱，所以产生的糖分比较少，瓜果就不甜了。

dù li de xī guā zǐ huì zhǎng miáo ma

肚里的西瓜子会长苗吗？

xī guā zǐ fā yá chú le xū yào hé shì de tiáo jiàn rú shuǐ fèn
西瓜子发芽除了需要合适的条件，如水分、
kōng qì wēn dù děng hái xū yào shí jiān méi yǒu sān sì tiān de shí jiān
空气、温度等，还需要时间。没有三四天的时间，
zhǒng zi shì fā bù liǎo yá de jìn rù wǒ men dù zi li de xī guā zǐ
种子是发不了芽的。进入我们肚子里的西瓜子，
hái méi děng dào fā yá jiù bèi wǒ men pái xiè chū qù le yīn cǐ rú guǒ nǐ bù
还没等到发芽，就被我们排泄出去了。因此，如果你不
xiǎo xīn chī xià le xī guā zǐ yě bú yào dān xīn tā shì bú huì zài nǐ de dù
小心吃下了西瓜子，也不要担心，它是不会在你的肚
zi li zhǎng chū xī guā miáo de
子里长出西瓜苗的。

西瓜是我们夏天常吃的水果。

西瓜

吃西瓜时，很容易把西瓜子吃下去。

第3章

探索奇妙的人体

人类的身体是一台非常复杂的“机器”，你一定对这台“机器”充满了好奇。我从哪里来？人为什么要呼吸？为什么眼睛能看见东西……你经常向爸爸妈妈问的这些问题，在这一章里都可以找到答案了！

wǒ de shēn tǐ hé bié rén de yí yàng ma

我的身体和别人的一样吗?

cóng xiàng mào shang kàn wǒ men rèn shí de xiǎo
从相貌上看,我们认识的小
péng yǒu méi yǒu yí gè zhǎng de hé wǒ men yì mú yí
朋友没有一个长得和我们一模一
yàng nà me wǒ men de shēn tǐ nèi bù jié gòu
样。那么,我们的身体内部结构
shì bu shì yě bù yí yàng ne qí shí bù guǎn wài
是不是也不一样呢?其实,不管外
biǎo chā yì duō me dà de rén qí shēn tǐ jié gòu dōu shì xiāng tóng de
表差异多么大的人,其身体结构都是相同的,

人脑是身体的司令部。

人是由头、颈、躯干和四肢组成的。

我们每一个人看起来都是独一无二的。

bìng qiě gòu chéng suǒ yǒu rén de shēn tǐ de wù zhì yě shì yí yàng
并且构成所有人的身体的物质也是一样

de wǒ men měi yí gè rén dōu yóu tóu jǐng qū gàn hé sì
的。我们每一个人都由头、颈、躯干和四

zhī zǔ chéng nǎo xiāng dāng yú rén tǐ de sī lìng bù zhǐ huī
肢组成。脑相当于人体的司令部，指挥

zhe wǒ men de xíng dòng gǔ gé hé jī ròu zhī chēng zhe shēn
着我们的行动；骨骼和肌肉支撑着身

tǐ de yùn dòng pí fū bǎo hù zhe shēn tǐ li de qì guān
体的运动；皮肤保护着身体里的器官，

shǐ qí bú shòu shāng hài zhè xiē jié gòu xiāng hù pèi hé wǒ
使其不受伤害。这些结构相互配合，我

men cái néng zhèng cháng huó dòng
们才能正常活动。

从外表上看，我们长得很不同，但实际上我们的身体结构都是一样的。

智慧小考官

我的身体哪里和别人不一样？

人的体形是互不相同的，即使是同一年龄的人，也会有高矮胖瘦的差别。我们旁边的小朋友，有的是大眼睛、双眼皮，有的是小眼睛、单眼皮；有的高一些，有的矮一些。而且，男孩和女孩的体形也是不同的。

shēn tǐ shì yóu shén me zǔ chéng de
身体是由什么组成的?

细胞的结构示意图

xiǎo péng yǒu xiǎng guò méi yǒu wǒ men de shēn tǐ shì yóu shén me
小朋友想过没有，我们的身体是由什么
zǔ chéng de ne nǐ yí dìng xiǎng bú dào zǔ chéng wǒ men shēn tǐ
组成的呢？你一定想不到，组成我们身体
de shì xǔ xǔ duō duō ròu yǎn kàn bú dào de xì xiǎo wēi lì
的是许许多多肉眼看不到的细小微粒，
tā men de míng zi jiào xì bāo xì bāo shì rén tǐ gòu
它们的名字叫“细胞”。细胞是人体构
zào hé gōng néng de jī běn dān wèi měi gè rén de shēn tǐ
造和功能的基本单位。每个人的身体
li dōu yǒu hǎo jǐ bǎi zhǒng xì bāo
里都有好几百种细胞，
zhè xiē xì bāo xíng zhuàng bù tóng gōng
这些细胞形状不同，功

仔细看看这些细胞。它们的功能各不相同。

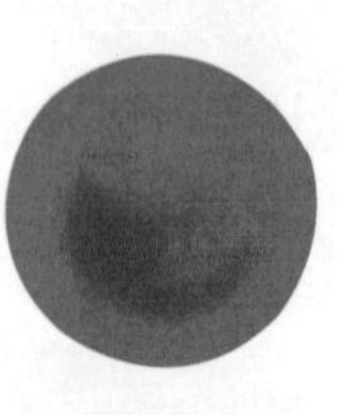
NO.1
红细胞

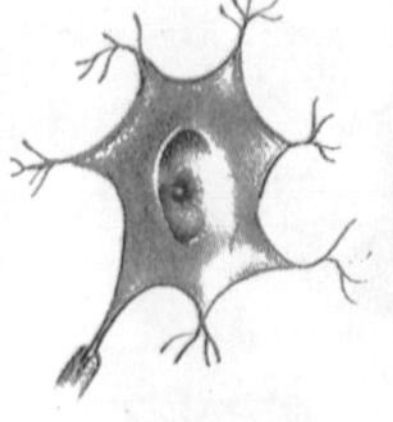
NO.2
神经细胞

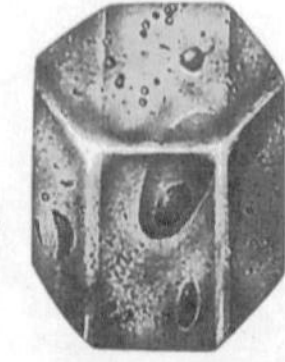
NO.3
肝细胞

NO.4
皮肤细胞

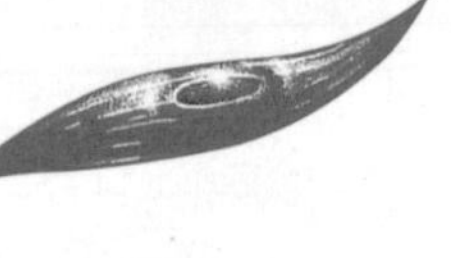
NO.5
肌肉细胞

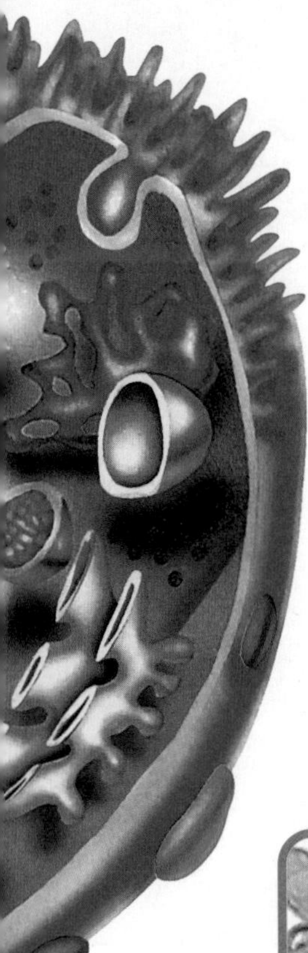

néng yě bù tóng lì rú shén jīng xì bāo zhǎng
能也不同。例如，神经细胞长

de xiàng shù yí yàng yǒu zhī chā néng jiē shòu
得像树一样，有枝杈，能接受

cì jī chuán dǎo xīng fèn zhī pèi qí tā xì
刺激、传导兴奋，支配其他细

bāo de huó dòng jī ròu xì bāo xiàng xiān wéi yí
胞的活动；肌肉细胞像纤维一

yàng néng shēn suō děng děng bú guò xì bāo
样，能伸缩，等等。不过，细胞

fēi cháng xiǎo wǒ men zhǐ yǒu zài xiǎn wēi jìng xià
非常小，我们只有在显微镜下

cái néng kàn jiàn tā men
才能看见它们。

智慧小考官

细胞能活多久？

不一样的细胞，寿命也不一样。有的细胞只能活几个小时，而有的细胞却能活十几年。大部分细胞死了以后，都会有新细胞代替它们。我们身体里每天总有成千上万的细胞在衰老死亡，同时又有成千上万的新细胞在生成。

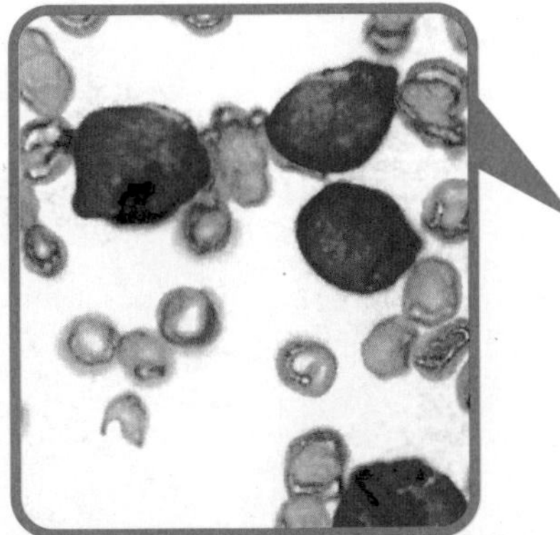

这是显微镜下看到的细胞，它们的大小和形状都不一样。

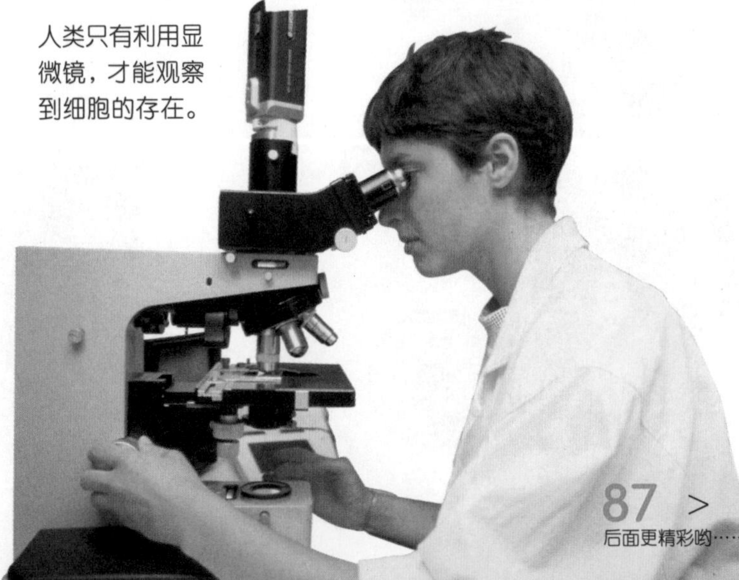

人类只有利用显微镜，才能观察到细胞的存在。

谁在管理我们身体里的细胞？

我们身体里的细胞是怎么相处的呢？到底是谁在管理它们呢？其实，细胞只是组成我们身体的最小单位。不同形状和功能的细胞构成了组织，人体内基本的组织分为肌肉组织、神经组织、结缔组织和上皮组织四类。各种不同的组织联合起来，完成某项工作，就形成了器官，如心脏、肝、

人体的各个组成部分

神经组织

连接身体各部分的结缔组织

上皮组织

肌肉组织

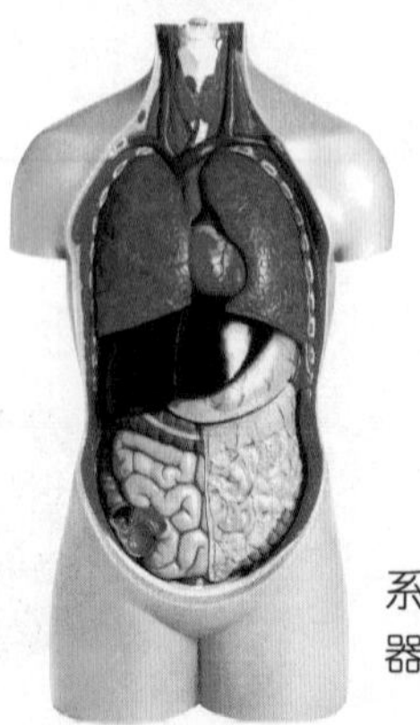

系统是由多个器官组成的。

我们的身体就像一台复杂而精巧的机器。

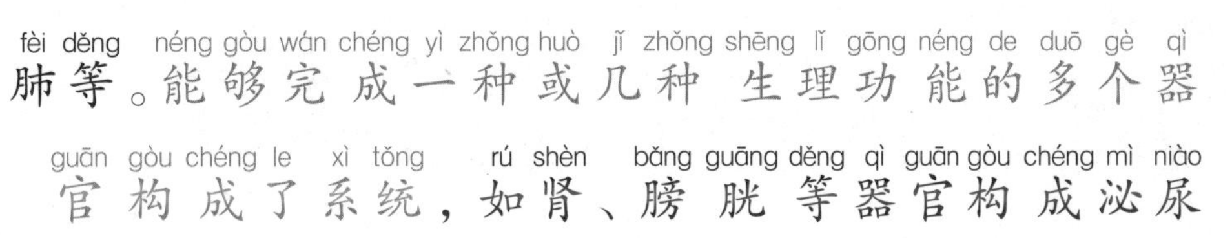

肺等。能够完成一种或几种生理功能的多个器官构成了系统，如肾、膀胱等器官构成泌尿系统，是系统在管理我们身体里的细胞。

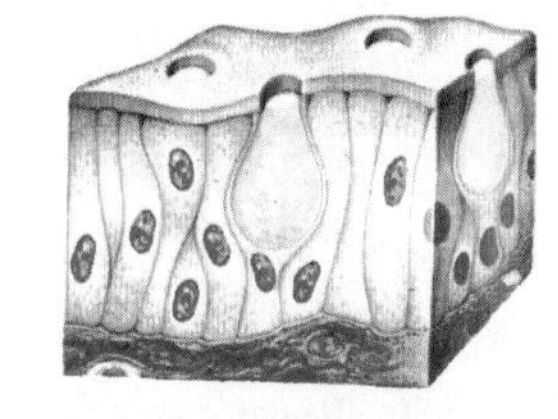

假性复层柱状上皮组织

我们在进行体育运动时，身体里的器官和系统都在积极地配合我们。

智慧小考官

人体最高级的组成部分是什么？

人体最高级的组成部分是系统。根据功能的不同，系统可分为12种，它们是表皮、肌肉、骨骼、关节、呼吸、循环、免疫、消化、泌尿、神经、内分泌和生殖系统。

我们每时每刻都在呼吸。

wèi shén me rén yǒu shí huì shēng bìng
为什么人有时会生病?

xiǎo péng yǒu nǐ zhī dào wèi shén me rén yǒu shí huì shēngbìng
小朋友，你知道为什么人有时会生病
ma qí shí rén huì shēng bìng shì yīn wèi yì xiē bìng yuán tǐ jìn rù rén tǐ yǐng
吗？其实，人会生病是因为一些病原体进入人体，影
xiǎng le shēn tǐ lǐ miàn de qì guān hé xì bāo de zhèng cháng gōng zuò cháng
响了身体里面的器官和细胞的正常工作。常
jiàn de bìng yuán tǐ yǒu xì jūn bìng dú zhēn jūn hé yuán shēng shēng wù sì zhǒng zhè xiē bìng
见的病原体有细菌、病毒、真菌和原生生物四种。这些病
yuán tǐ tǐ jī wēi xiǎo zhǐ yǒu jiè zhù xiǎn wēi jìng cái néng kàn dào bìng
原体体积微小，只有借助显微镜才能看到。病
yuán tǐ jìn rù wǒ men de shēn tǐ hòu fáng yù xì bāo huì jìn xíng dǐ
原体进入我们的身体后，防御细胞会进行抵
yù hé bìng mó zuò zhàn zhè shí wǒ men de shēn
御，和“病魔”作战。这时，我们的身
tǐ jiù huì chū xiàn xiāng yìng de fǎn yìng bǐ rú fā shāo
体就会出现相应的反应，比如发烧、

图中的红色物质是感冒病毒。

如果人不能靠自身抵抗疾病，就要请医生治疗。

鼠疫杆菌

炭疽病细菌

咳嗽或者疼痛等症状。当防御细胞将病原体消灭后，这些症状就会消失。

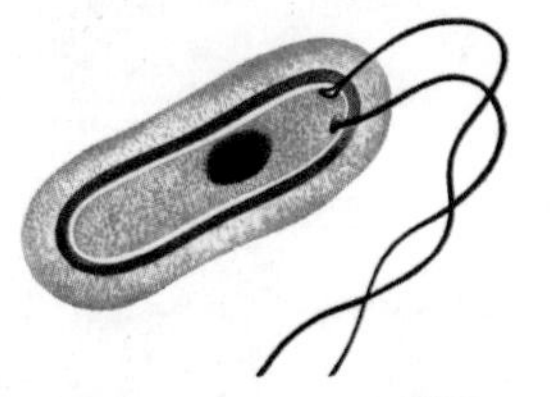

典型的细菌细胞结构图

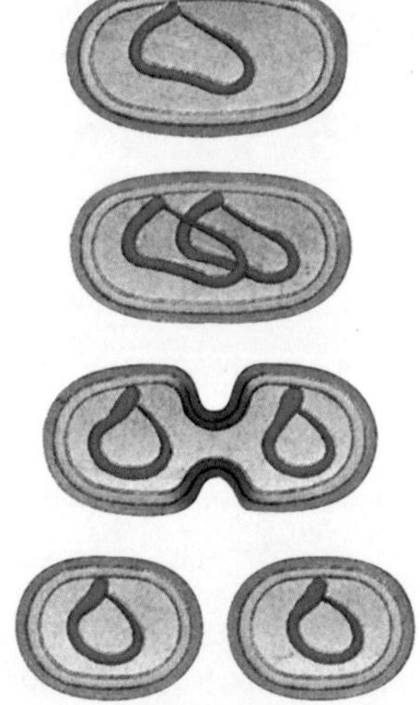

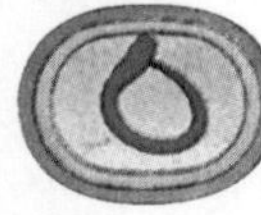

细菌繁殖。

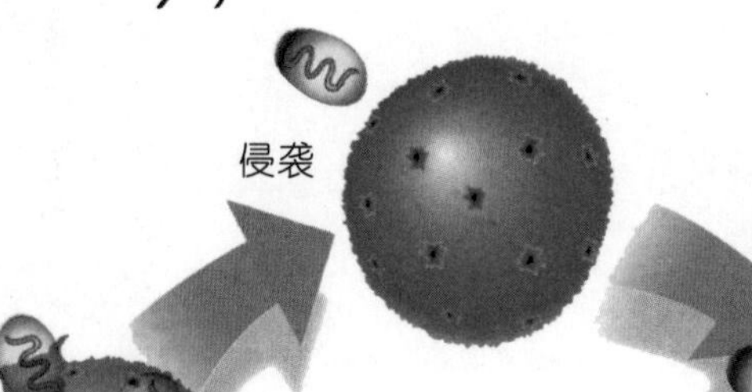

病毒在细胞上的繁殖过程示意图

智慧小考官

什么是病毒?

病毒是一些微小的颗粒，比细菌和其他微生物要小得多，可以侵入活细胞并将这个细胞据为己有。它们在活细胞中繁殖生长，并释放新的病毒微粒去传染更多的正常细胞。

gǔ gé yǒu shén me yòng

骨骼有什么用?

gǔ gé shì zhī chēng wǒ men shēn tǐ de kuàng jià tóng shí yě bǎo hù zhe shēn
骨骼是支撑我们身体的框架,同时也保护着身
tǐ li róu ruǎn de qì guān chéng nián rén de gǔ gé gòng yǒu kuài bāo kuò
体里柔软的器官。成年人的骨骼共有206块,包括
yìng gǔ hé ruǎn gǔ tā men kě yǐ fēn wéi liǎng zǔ tóu lú jǐ zhù jí xiōng
硬骨和软骨。它们可以分为两组:头颅、脊柱及胸
kuò gòu chéng le zhōngzhóu gǔ gé sì zhī gǔ jiān jiǎ gǔ jí kuān gǔ gòu chéng
廓构成了中轴骨骼;四肢骨、肩胛骨及髋骨构成
le fù zhī gǔ gé rén tǐ de gǔ gé xì tǒng chú le yǒu zhī chēng shēn tǐ
了附肢骨骼。人体的骨骼系统除了有支撑身体
hé bǎo hù nèi zàng qì guān de gōng néng wài hái wèi jī ròu tí gōng le
和保护内脏器官的功能外,还为肌肉提供了

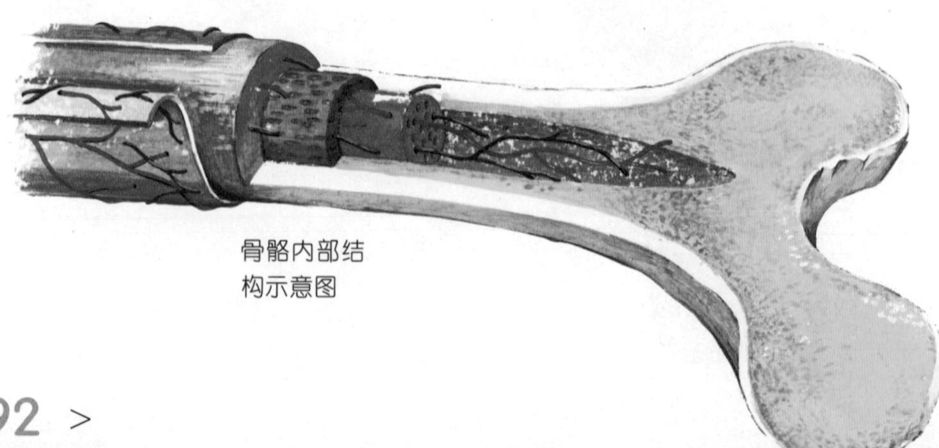

骨骼内部结构示意图

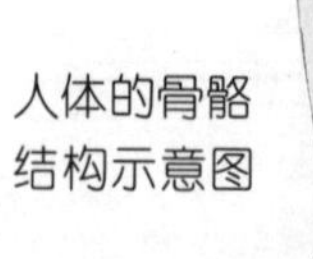

人体的骨骼结构示意图

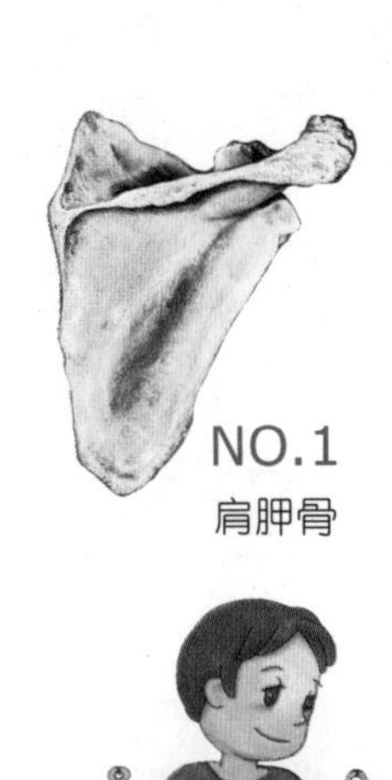
NO.1
肩胛骨

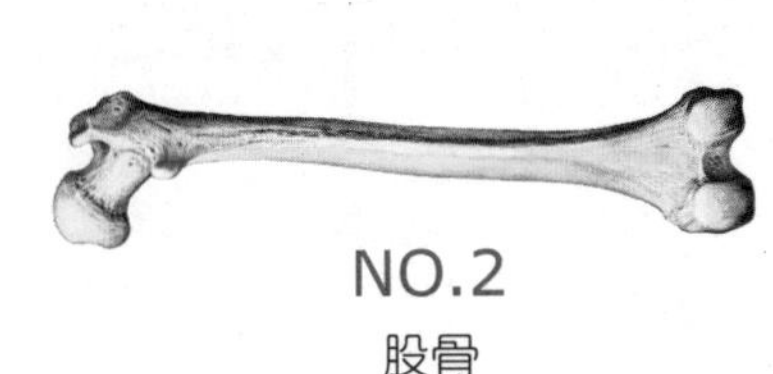
NO.2
股骨

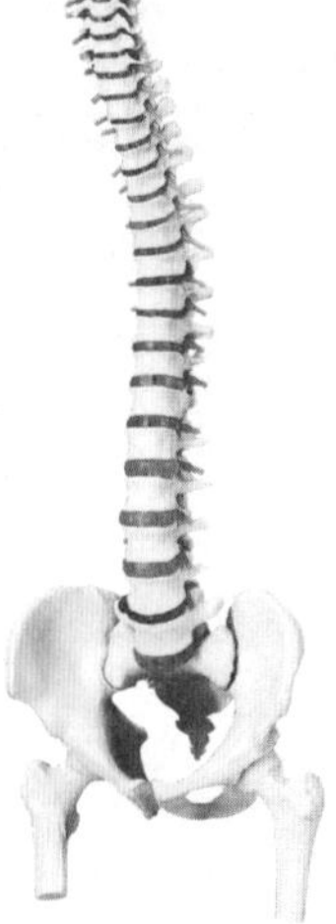
NO.3
脊椎骨

医生通过 X 光能够看到病人身体里的骨骼。

智慧小考官

人在成长时骨骼会增多还是减少？

随着人的成长，人的骨骼会慢慢减少。初生婴儿的骨头是305块，儿童的骨头有217块，成年后人体就只有206块骨头了。因为随着身体的不断发育，一些很小的骨头会渐渐长在一起。

qiáng jiàn de zhī jià hé fù zhuó chù shǐ rén tǐ néng gòu yùn dòng
强健的支架和附着处，使人体能够运动；
ér guān jié zé shǐ rén tǐ de yùn dòng biàn de líng huó zì rú
而关节则使人体的运动变得灵活自如。
cǐ wài mǒu xiē gǔ gé de hóng xì bāo nèi kě yǐ shēng chéng
此外，某些骨骼的红细胞内可以生成
bù tóng lèi xíng de xuè xì bāo wèi rén tǐ zào xuè
不同类型的血细胞，为人体造血。

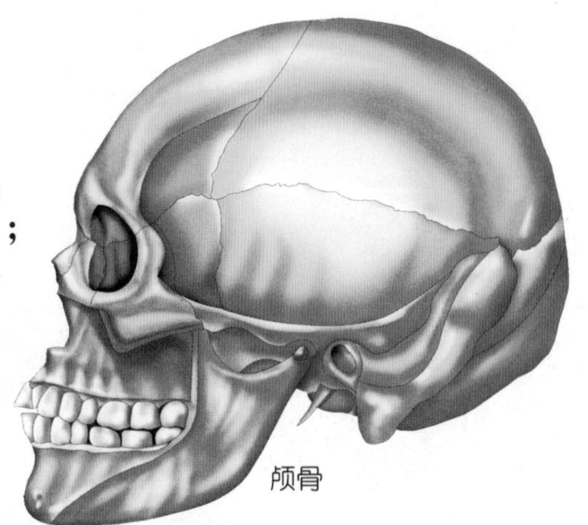
颅骨

wèi shén me xīn zàng yì zhí tiào gè bù tíng

为什么心脏一直跳个不停？

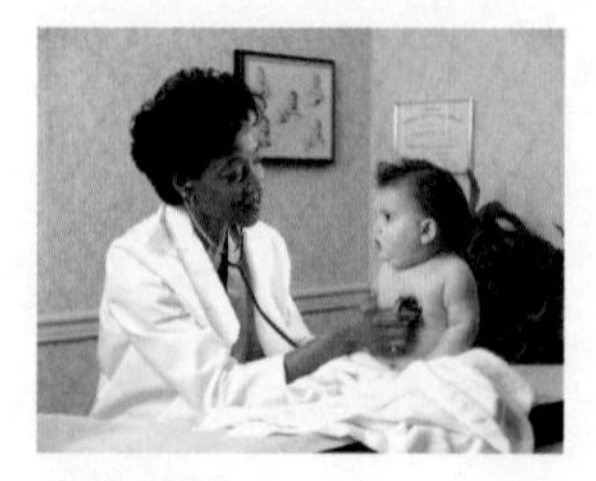
心脏检查

wǒ men zhǐ yào pā dào rén de xiōng kǒu zuǒ cè jiù kě yǐ tīng dào pū
我们只要趴到人的胸口左侧，就可以听到“扑
tōng pū tōng de shēng yīn zhè shì wǒ men de xīn zàng zài gōng zuò zài rén de
通扑通”的声音，这是我们的心脏在工作。在人的
yì shēng zhōng xīn zàng yí kè yě bú huì tíng zhǐ tiào dòng yīn wèi xīn zàng de
一生中，心脏一刻也不会停止跳动；因为心脏的
tiào dòng shì yóu xīn jī de shōu suō hé shū zhāng yǐn qǐ de zhǐ yào wǒ men hū xī xīn zàng jiù huì yǒu
跳动是由心肌的收缩和舒张引起的，只要我们呼吸，心脏就会有
guī lǜ de bó dòng xīn zàng de tiào dòng yǒu liǎng gè bù zhòu shǒu xiān xīn jī shū zhāng xīn shì hé xīn
规律地搏动。心脏的跳动有两个步骤：首先心肌舒张，心室和心
fáng yě suí zhe kuò zhāng ràng xuè yè chōng mǎn xīn zàng rán hòu xīn jī shōu suō ràng xuè yè cóng xīn fáng
房也随着扩张，让血液充满心脏；然后，心肌收缩，让血液从心房

心脏跳动的过程示意图

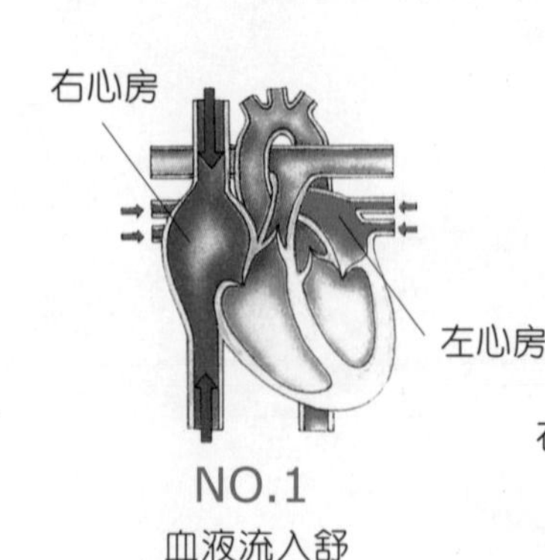

NO.1
血液流入舒张的心房。

右心室
左心室

NO.2
心肌收缩将血液压进心室。

NO.3
血液从心室涌出，进入动脉。

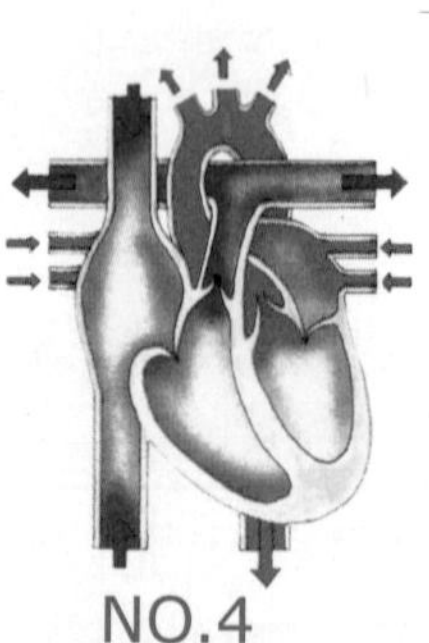

NO.4
血液重新充满处于放松状态的心房。

liú xiàng xīn shì jiē zhe xīn shì zhōng de xuè yè bèi jǐ chū jìn rù dòng mài dòng mài
流向心室；接着，心室中的血液被挤出，进入动脉；动脉

zhōng de xuè yè yòu fēn bié liú jìn fèi bù hé quán shēn gè chù quán shēn gè chù de xuè
中的血液又分别流进肺部和全身各处，全身各处的血

yòu huì liú rù xīn zàng rú cǐ xún huán
又会流入心脏。如此循环。

我们的心脏每时每刻都在工作。

人进行剧烈运动时，心跳会加快。

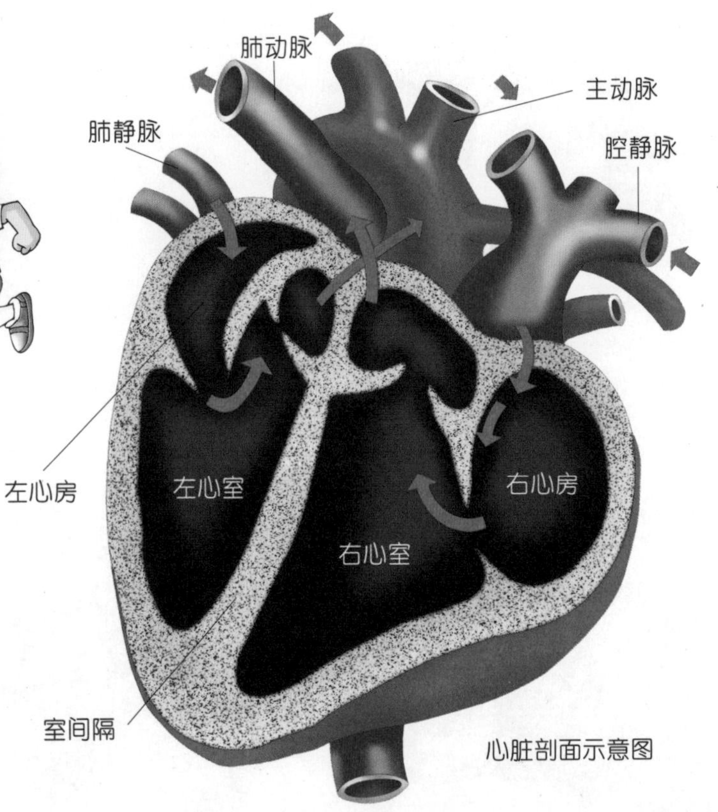

心脏剖面示意图

智慧小考官

心跳一次需要多长时间？

正常人的心脏每跳动一次需要0.8秒左右的时间，其中心房收缩需要0.1秒，舒张需要0.7秒；心室收缩需要0.3秒，舒张需要0.5秒。

rén wèi shén me yào hū xī
人为什么要呼吸？

xiǎo péng yǒu rú guǒ shì zhe biē qì guò bù liǎo yí huì er jiù huì gǎn jué tè bié nán shòu zhè shì yīn wèi rén měi shí měi kè dōu xū yào hū xī hū xī shì rén tǐ jìn xíng qì tǐ jiāo huàn de zhòng yào guò chéng

小朋友如果试着憋气，过不了一会儿，就会感觉特别难受，这是因为人每时每刻都需要呼吸。呼吸是人体进行气体交换的重要过程。

气管结构示意图

zài hū xī shí wǒ men xī jìn kōng

在呼吸时，我们吸进空

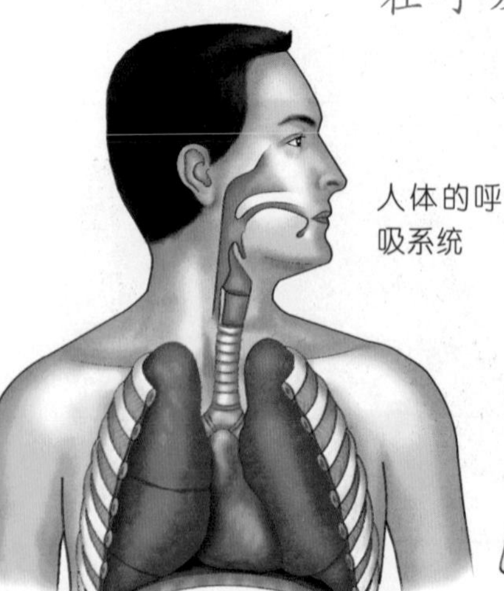

人体的呼吸系统

宇航员需要携带能供给氧气的设施。

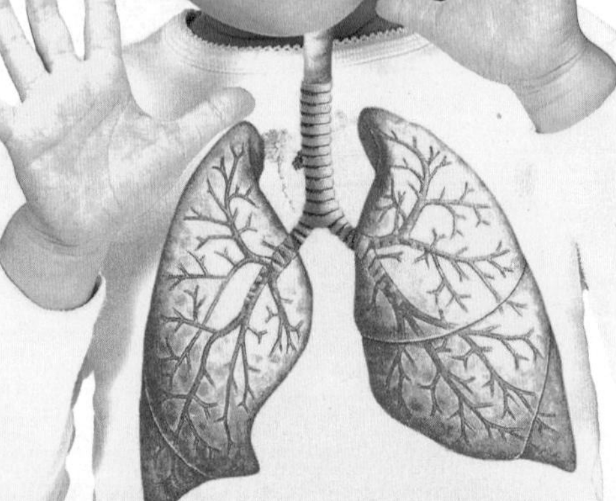

气管和肺

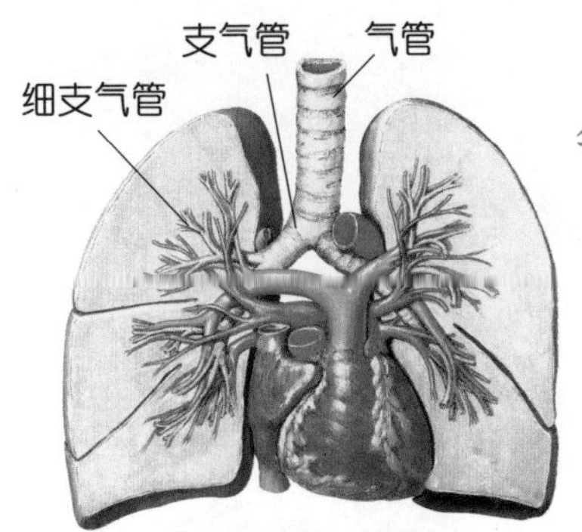

肺的结构示意图

气中的氧气，并把氧气输送到身体的各个部位，供给人体活动。同时，呼吸还可以将氧气被利用后产生的废气——二氧化碳输送到体外。如果没有呼吸时吸进的氧气，我们吃进肚子里的东西就不能转变为能量，心脏、大脑和手脚都会停止活动，人的生命也就结束了。

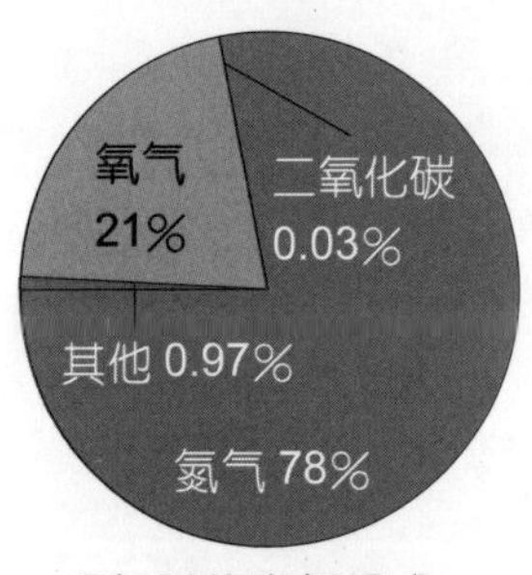

吸气时的空气组成

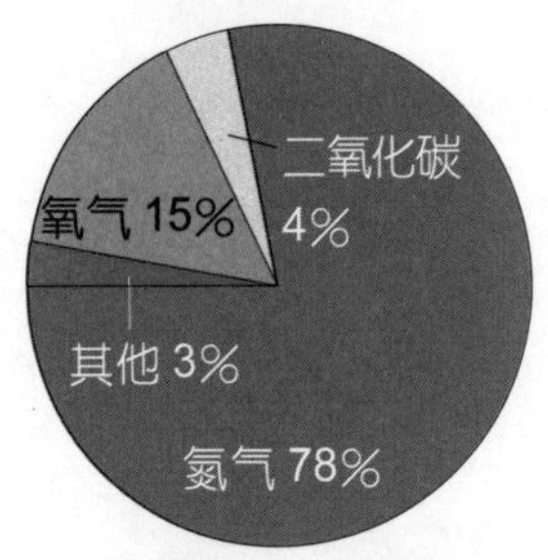

呼气时的空气组成

智慧小考官

我们是怎么进行呼吸的？

人的呼吸是由胸腔里的横膈膜和肌肉控制的。由于横膈膜和肌肉有规律地进行着收缩、舒张，就会牵引着肺部有节奏地排气、吸气，于是，我们就会有节奏地呼气和吸气了。

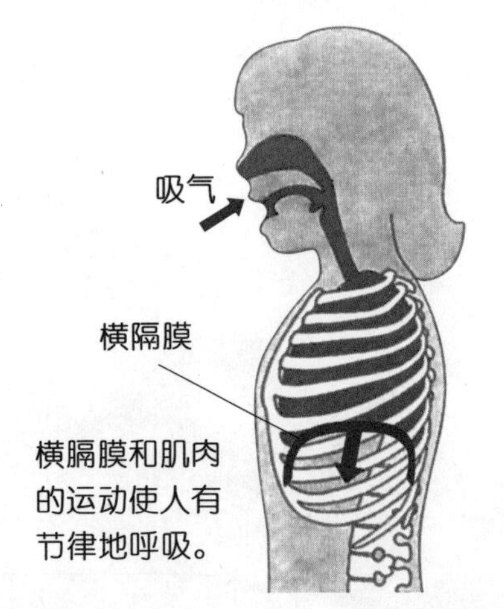

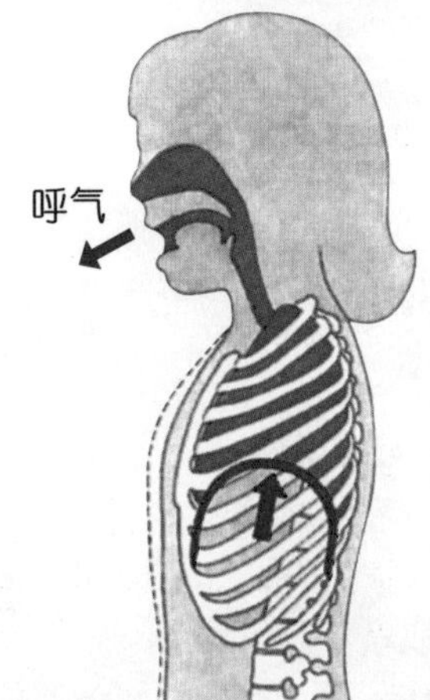

横膈膜和肌肉的运动使人有节律地呼吸。

为什么我们每天都要吃东西？

wèi shén me wǒ men měi tiān dōu yào chī dōng xi

鸡蛋和牛奶含有丰富的蛋白质。

我们每天都要吃一些米、面之类的食物，还有一些肉、蛋、蔬菜和水果之类的东西。这些食物是人体和生命不可缺少的重要物质，能给我们所需要的营养。我们每天摄取的食物中，含有大量的蛋白

只有每天摄入一定量的营养物质，我们才能保持健康。

zhì táng lèi hé zhī fáng rú ròu lèi zhōng hán yǒu dàn bái zhì hé zhī fáng
质、糖类和脂肪。如肉类中含有蛋白质和脂肪，

tián diǎn zhōng hán yǒu táng fèn cǐ wài shí wù zhōng hái hán yǒu xǔ
甜点中含有糖分。此外，食物中还含有许

duō wēi liàng yuán sù rú gài tiě xīn xī hé wéi shēng sù děng
多微量元素，如钙、铁、锌、锡和维生素等，

tā men dōu shì wǒ men wéi chí shēng mìng hé jiàn kāng chéng zhǎng de bì
它们都是我们维持生命和健康成长的必

xū yíng yǎng suǒ yǐ wǒ men měi tiān dōu děi chī dōng xi
需营养。所以，我们每天都得吃东西。

良好的进餐习惯对健康很重要。

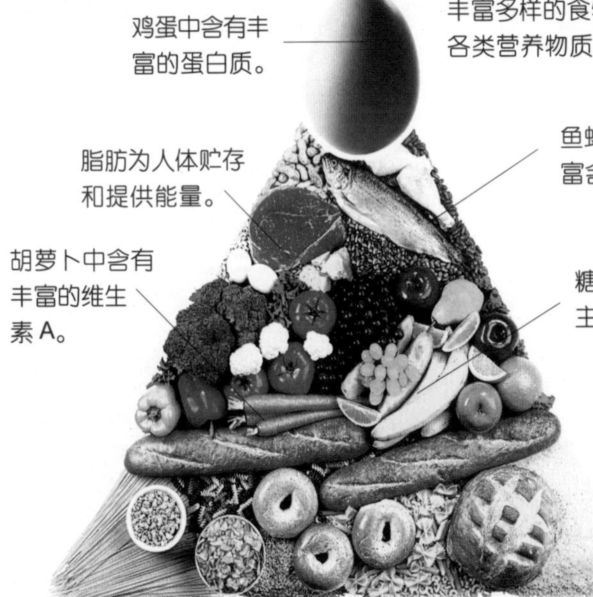

智慧小考官

什么是微量元素?

人体内有些元素的含量很少，低于体重的0.01%，人们称之为“微量元素”。我们常见到的微量元素有铁、碘、铜、锰等20余种，它们与人体的关系非常密切。

wǒ men zěn yàng qīng chú shēn tǐ li de fèi wù
我们怎样清除身体里的废物？

wǒ men měi tiān dōu huì chī jìn hěn duō shí wù bìng qiě tōng guò hū xī xī
我们每天都会吃进很多食物，并且通过呼吸吸
jìn dà liàng de yǎng qì zài xī shōu yíng yǎng wù zhì hé yǎng qì de tóng shí wǒ
进大量的氧气。在吸收营养物质和氧气的同时，我
men de tǐ nèi yě chǎn shēng le yì xiē méi
们的体内也产生了一些没
yǒu yòng chù de fèi wù rú fèn biàn niào
有用处的废物，如粪便、尿、
hàn hé èr yǎng huà tàn yào xiǎng bǎ zhè xiē fèi wù pái chū
汗和二氧化碳。要想把这些废物排出
tǐ wài jiù yào yī kào pái xiè qì guān rén tǐ de pái xiè
体外，就要依靠排泄器官。人体的排泄

大小便是我们排出体内废物的主要方式。

人体的排泄器官

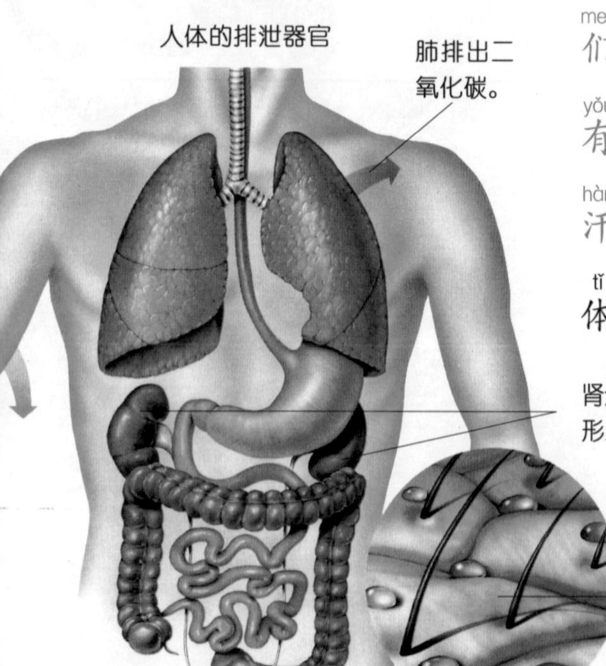

大肠的外形

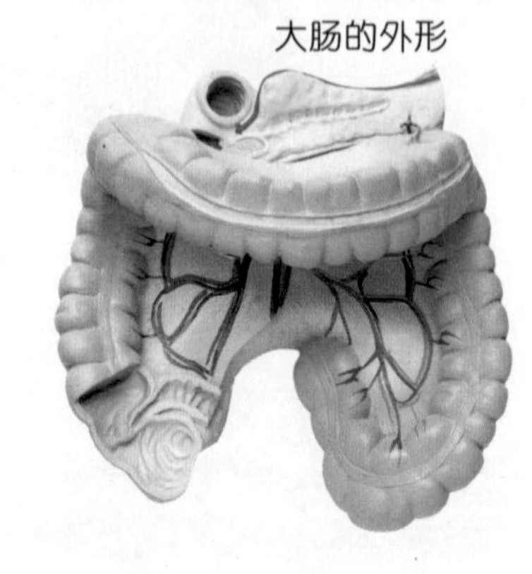

qì guān bāo kuò néng gòu pái chū èr yǎng huà tàn de fèi xíng chéng niào de shèn
器官包括能够排出二氧化碳的肺、形成尿的肾
zàng yòng yú pái chú tǐ nèi yǒu hài wù zhì de gān zàng pái chū hàn yè
脏、用于排除体内有害物质的肝脏、排出汗液
de tǐ biǎo pí fū pái chū dà biàn de dà cháng hé gāng mén tā men
的体表皮肤、排出大便的大肠和肛门。它们
bǎ rén tǐ chǎn shēng de fèi wù jí shí pái chū tǐ wài shǐ wǒ men néng gòu jiàn
把人体产生的废物及时排出体外，使我们能够健
kāng de shēng huó
康地生活。

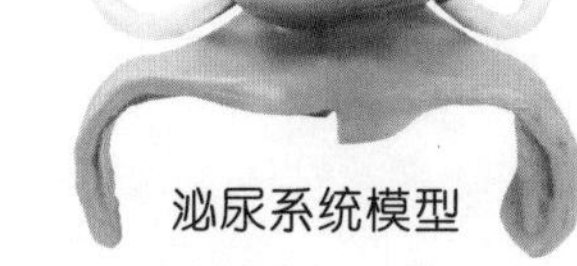

泌尿系统模型

智慧小考官

人为什么会放屁？

在食物消化的过程中，由于消化道正常菌群的作用，产生了较多的气体。这些气体，随着肠道的蠕动向下运行，通过肛门排出体外。排出时，由于肛门括约肌的作用，有时还产生响声。所以，放屁是肠道正常运行的一种表现。

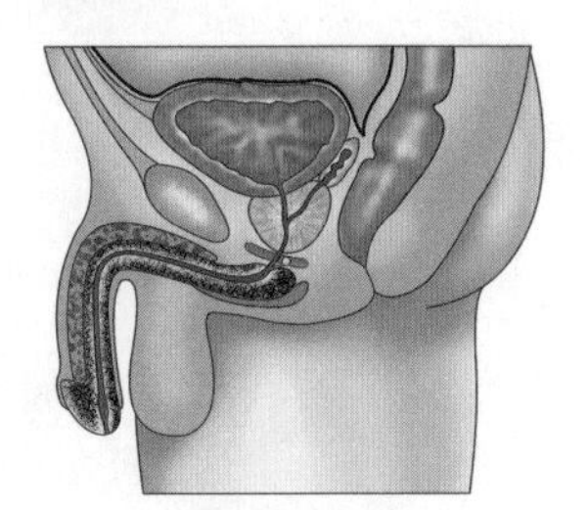

男性泌尿道

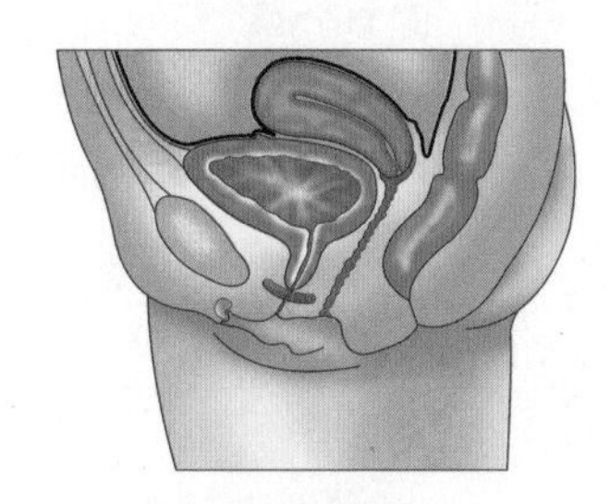

女性泌尿道

rén nǎo shì rú hé sī kǎo de

人脑是如何思考的?

脑神经细胞

bà ba mā ma cháng duì wǒ men shuō yào yòng xīn sī kǎo qí shí
爸爸妈妈常对我们说要用心思考,其实,
wǒ men zhī suǒ yǐ néng gòu dú shū xué xí sī kǎo wèn tí bú shì xīn zài
我们之所以能够读书学习、思考问题,不是“心”在
fā huī zuò yòng ér shì yīn wèi zài wǒ men de nǎo dài li cáng zhe yí gè néng gòu zhǐ huī rén tǐ de sī
发挥作用,而是因为在我们的脑袋里藏着一个能够指挥人体的“司
lìng bù nǎo rén nǎo zhǔ yào bāo kuò dà nǎo xiǎo nǎo hé nǎo gàn zhè sān bù fen dōu yǒu jīng
令部”——脑。人脑主要包括大脑、小脑和脑干,这三部分都有精

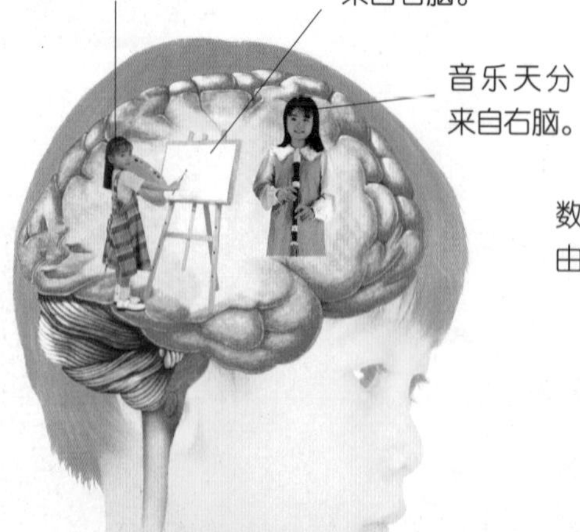

左脑用来记住名字、日期和事实。

左脑控制语言技巧,它能让你说话、念书和写字。

数学和逻辑问题,是由左脑来解答的。

右臂是由左脑控制的。

脑干控制着你的许多自主活动。

大脑的分工

大脑结构细分图

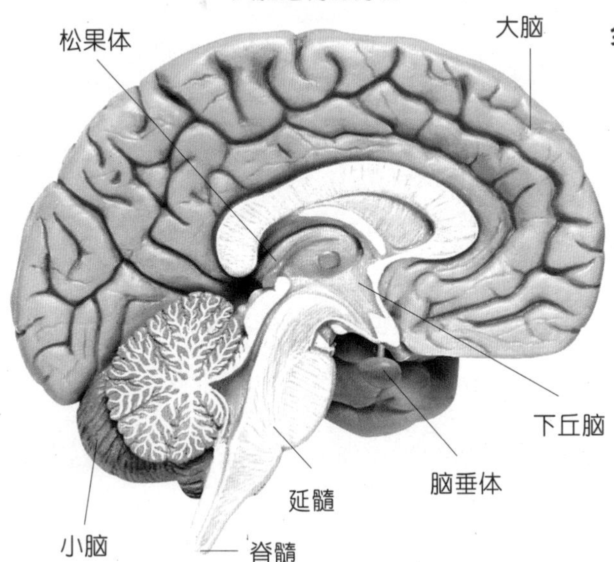

xì ér fù zá de gōng néng zhèng shì tā men zhǐ huī zhe
细而复杂的功能，正是它们指挥着
rén de sī kǎo hé xíng dòng nǎo de zuì dà bù fen
人的思考和行动。脑的最大部分
shì liǎng gè zhě zhòu duō wén de dà nǎo bàn qiú wǒ
是两个褶皱多纹的大脑半球。我
men de sī xiǎng zài zhè liǎng gè dà nǎo bàn qiú nèi chǎn
们的思想在这两个大脑半球内产
shēng dà nǎo de zuǒ bàn qiú fù zé luó jí sī kǎo
生。大脑的左半球负责逻辑思考，
yòu bàn qiú zhǎng guǎn yì shù hé chuàng zào xìng huó dòng
右半球掌管艺术和创造性活动。

智慧小考官

脑子真的越用越好使吗？

科学研究证明，勤于用脑的人，脑血管经常处于舒展的状态，脑神经细胞会得到很好的保养，从而使大脑更加发达。相反，懒于动脑的人，容易引起大脑早衰。所以说，脑子真的越用越好使。

wèi shén me yǎn jing néng kàn jiàn dōng xi

为什么眼睛能看见东西？

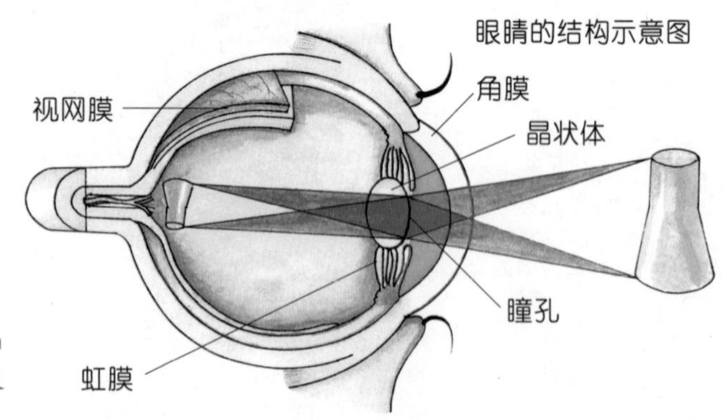

眼睛的结构示意图

qīng chén zhǐ yào wǒ men zhēng kāi yǎn jing
清晨，只要我们睁开眼睛，
měi lì de fēng jǐng jiù huì jìn rù wǒ men de shì
美丽的风景就会进入我们的视
xiàn zài yǎn jing de bāng zhù xià wǒ men kě
线。在眼睛的帮助下，我们可
yǐ rèn shí gè zhǒng gè yàng de shì wù xué xí hěn
以认识各种各样的事物，学习很
duō zhī shí nǐ zhī dào yǎn jing wèi shén me kě yǐ kàn dào dōng xi ma yǎn jing de gòu zào fēi cháng
多知识。你知道眼睛为什么可以看到东西吗？眼睛的构造非常
jīng qiǎo wù tǐ de guāng xiàn tōng guò yǎn jiǎo mó jìn rù yǎn jing rán
精巧，物体的光线通过眼角膜进入眼睛，然
hòu tōng guò tóng kǒng yóu jīng zhuàng tǐ bǎ tā men huì jù zài shì
后通过瞳孔，由晶状体把它们汇聚在视
wǎng mó shang shì wǎng mó shang hán yǒu duì guāng xiàn jí wéi
网膜上。视网膜上含有对光线极为
mǐn gǎn de xì bāo dāng guāng xiàn zhào shè dào zhè xiē xì bāo
敏感的细胞，当光线照射到这些细胞
shang shí tā men jiù xiàng dà nǎo fā chū xìn hào zhè xiē
上时，它们就向大脑发出信号；这些

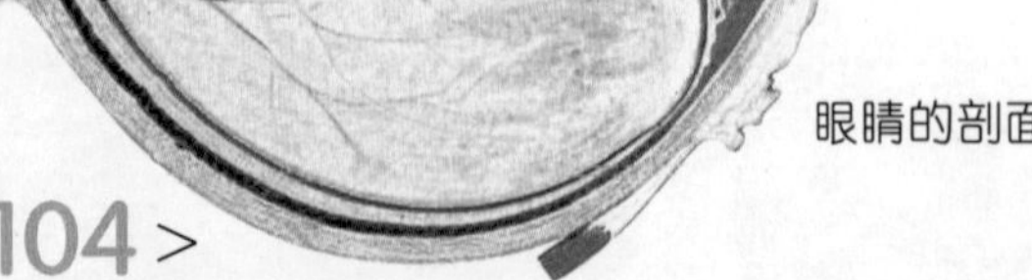
眼睛的剖面图

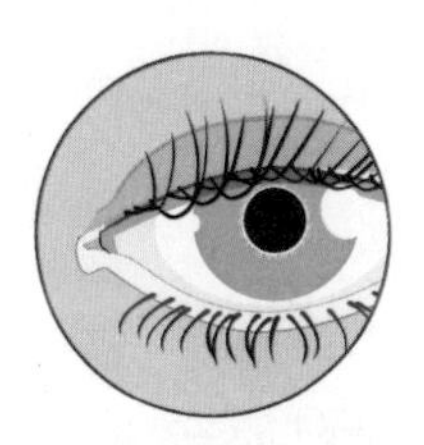
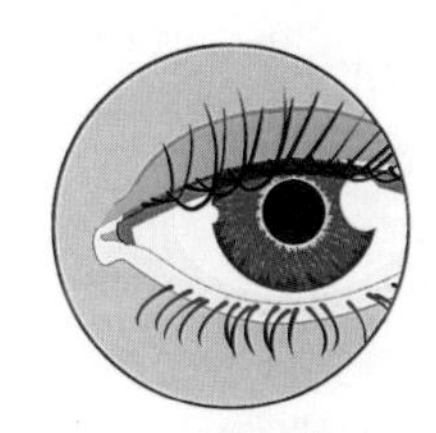
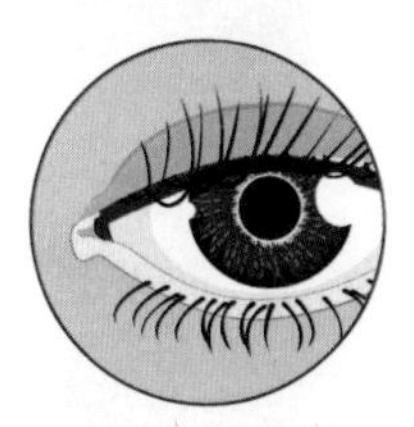
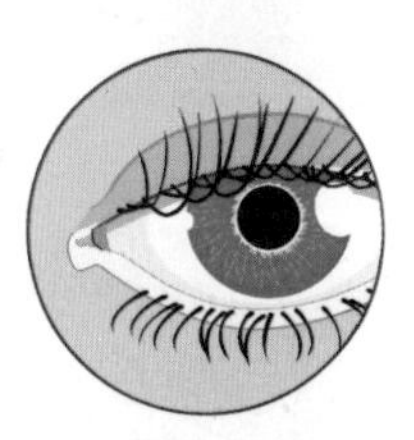

黄种人和黑种人的眼睛大多是黑色的，而白种人的眼睛则有蓝色、绿色、褐色等好几种颜色。

xìn hào bèi dà nǎo zhuǎn huàn chéng tú xiàng wǒ men jiù kě yǐ kàn
信号被大脑转换成图像，我们就可以看

jiàn dōng xi le
见东西了。

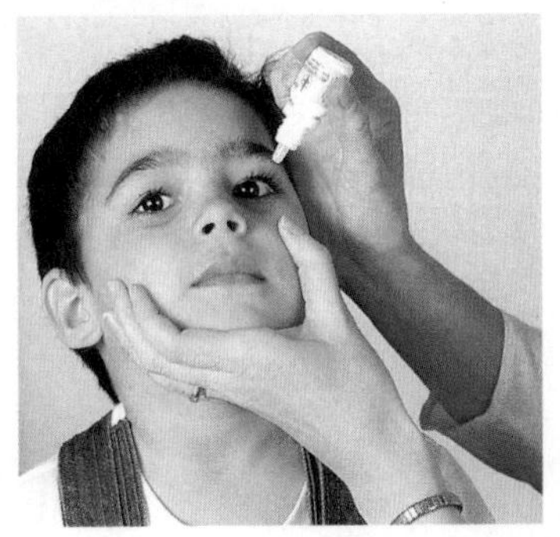

当眼睛感到干涩时，可以滴眼药水，以保持眼睛湿润。

我们在野外活动时，要注意保护好眼睛。

常做眼保健操可以让眼睛得到适当的休息。

智慧小考官

为什么冬天眼睛不怕冷？

你有没有注意到，不管天气多冷，我们的眼睛也不会觉得冷。这是因为我们的眼珠上只有掌管触觉和痛觉的神经，而没有掌管寒冷感觉的神经，所以不管温度多么低，眼睛也不会觉得冷。

wèi shén me ěr duo néng tīng dào shēng yīn

为什么耳朵能听到声音？

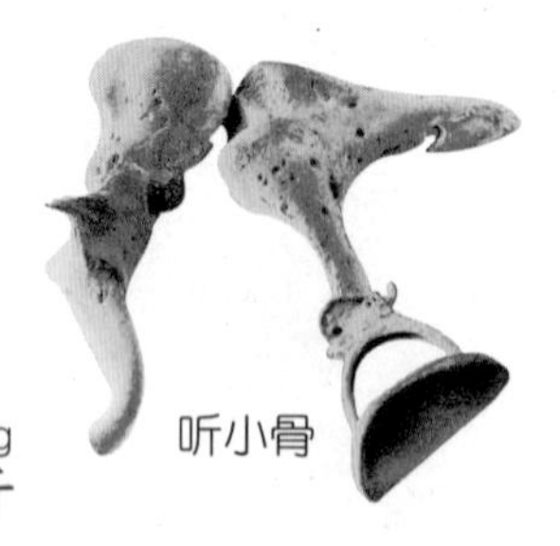
听小骨

ěr duo bāo kuò wài ěr zhōng ěr hé nèi ěr sān gè bù fen wài jiè de
耳朵包括外耳、中耳和内耳三个部分。外界的
shēng yīn yǐ shēng bō de xíng shì shùn zhe wài ěr dào wǎng lǐ zǒu zhèn dòng gǔ
声音以声波的形式顺着外耳道往里走，振动鼓
mó shǐ shēng yīn biàn dà bìng bèi zhōng ěr nèi de sān kuài tīng xiǎo gǔ jiē shōu tīng
膜，使声音变大，并被中耳内的三块听小骨接收。听
xiǎo gǔ yòu bǎ shēng bō sòng dào nèi ěr chuān guò ěr wō ěr wō lǐ xiàng máo fā yí yàng de máo xì
小骨又把声波送到内耳，穿过耳蜗。耳蜗里像毛发一样的毛细
bāo kāi shǐ zhèn dòng bǎ shēng bō chuán gěi tīng shén jīng shǐ tīng shén jīng mò shāo xīng fèn qǐ lái bù tóng
胞开始振动，把声波传给听神经，使听神经末梢兴奋起来。不同

耳朵结构示意图
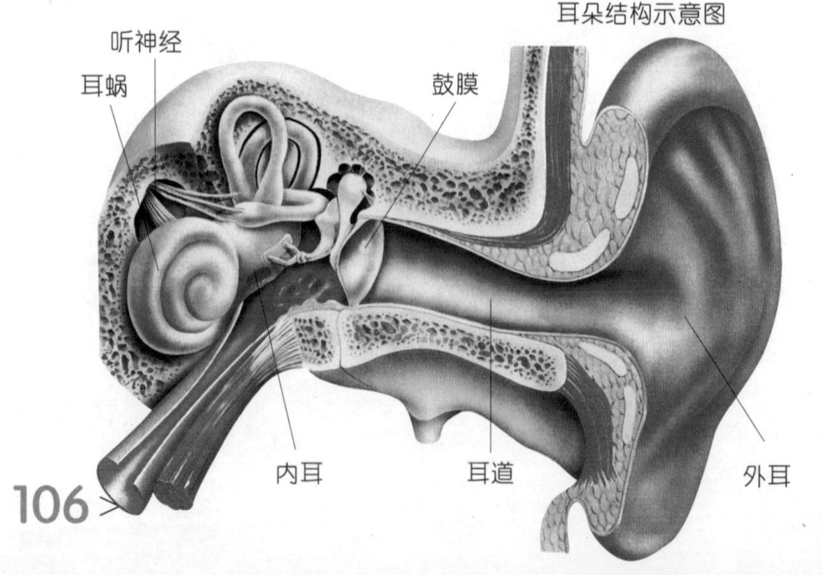

耳朵是听觉器官。

智慧小考官

为什么不能经常挖耳朵?

耳朵里的耳垢可以防止昆虫或灰尘进入中耳和内耳，是耳朵的“保护门”。经常掏耳朵很容易损伤外耳道皮肤，把细菌带入外耳道，引发耳炎。如果掏得过深，还会损伤鼓膜，使听力严重下降。

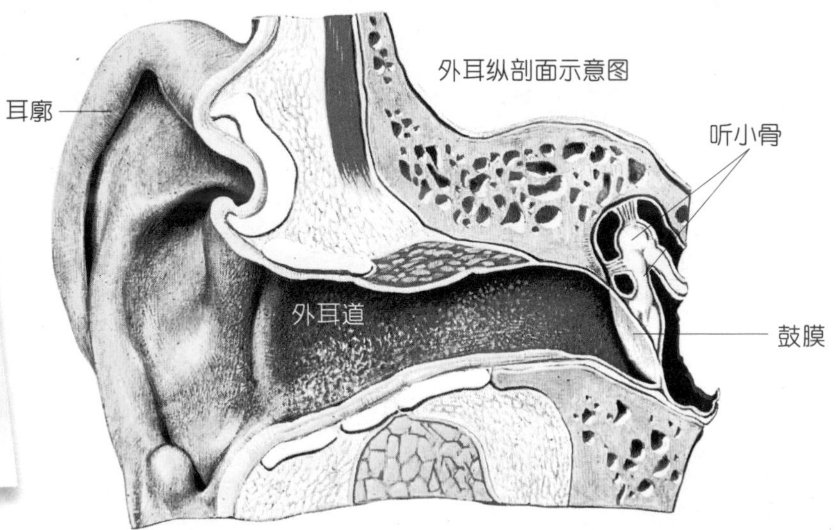

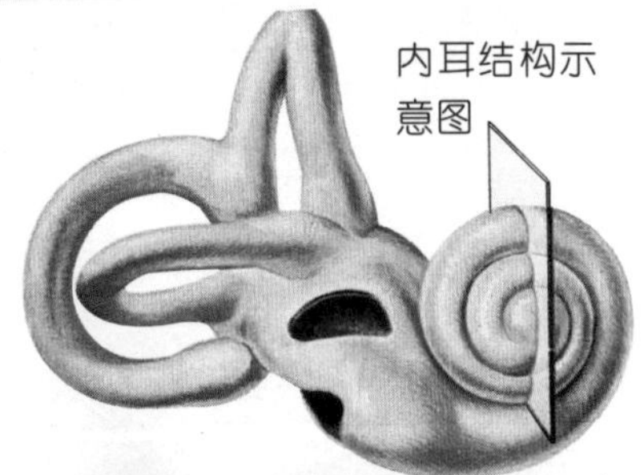

pín lǜ de shēng bō huì yǐn qǐ bù tóng chéng dù de xīng fèn zhè
频率的声波会引起不同程度的兴奋，这

xiē xīng fèn yóu tīng shén jīng chuán dì dào dà nǎo de tīng jué zhōng
些兴奋由听神经传递到大脑的听觉中

shū zhè yàng wǒ men jiù néng tīng dào shēng yīn le
枢，这样，我们就能听到声音了。

我们听到声音的原理与此相似。

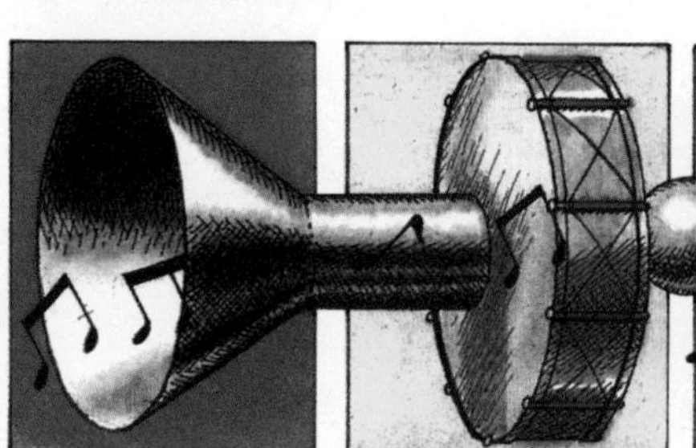

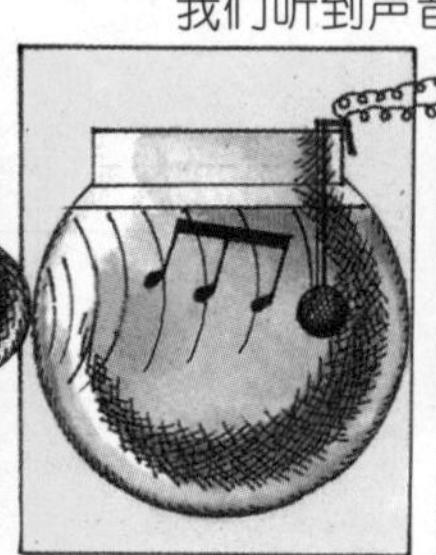

wèi shén me bí zi néng wén dào qì wèi
为什么鼻子能闻到气味？

dāng kàn dào yì duǒ hěn piào liang de huā shí wǒ men dōu huì còu shàng bí zi wén wén huā de xiāng wèi wèi shén me bí zi néng wén dào xiāng wèi ne zhè shì yīn wèi wǒ men de liǎng gè bí kǒng hòu miàn shì bí qiāng bí zi de xiù jué zhōng shū shēn cáng zài bí qiāng nèi měi yí cè bí qiāng

当看到一朵很漂亮的花时，我们都会凑上鼻子闻闻花的香味。为什么鼻子能闻到香味呢？这是因为我们的两个鼻孔后面是鼻腔，鼻子的嗅觉中枢深藏在鼻腔内。每一侧鼻腔

花粉的刺激有时会引起过敏性鼻炎。

鼻子使我们可以闻到花的香味。

用手指挖鼻孔会对鼻子造成损伤。

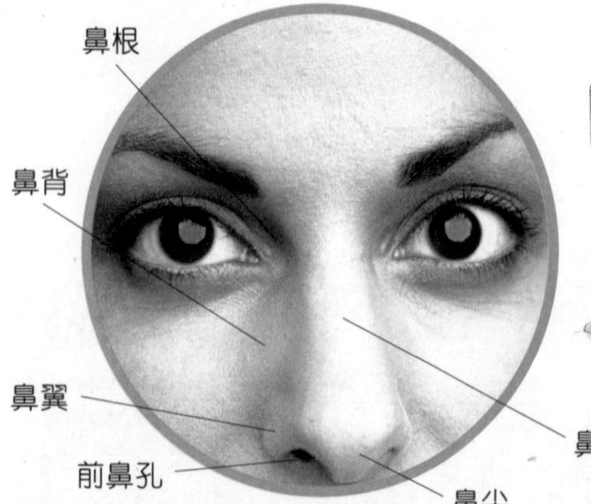

鼻子的结构示意图

我们要爱护自己的鼻子。

顶部都有一个嗅觉区，嗅觉区布满了对气味很敏感的嗅觉细胞。空气中具有气味的微粒被吸入鼻内，经过嗅觉区，与嗅觉细胞接触，就会刺激嗅觉细胞产生神经冲动。这种神经冲动再经过嗅神经、嗅球、嗅束传送到大脑嗅觉中枢，人就闻到气味了。

鼻子是面部最突出的器官。

智慧小考官

为什么不能用手挖鼻孔?

鼻子里的鼻毛和黏膜非常娇嫩，用手挖鼻孔会使鼻黏膜受伤，手上的细菌也容易进入伤口，使鼻子生病。所以我们不能养成用手指挖鼻孔的坏习惯。

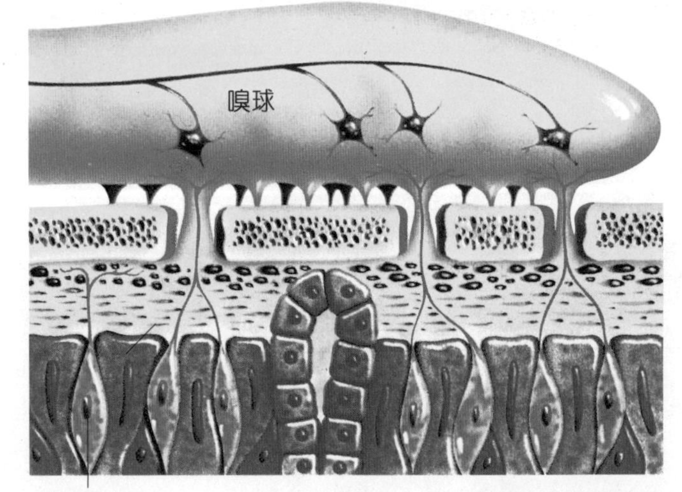

嗅觉区的结构示意图

shé tou zěn me pǐn cháng wèi dào

舌头怎么品尝味道?

xiǎo péng yǒu nǐ liǎo jiě wǒ men de shé tou ma shé tou
小朋友,你了解我们的舌头吗?舌头
de yòng chù kě duō la tā kě yǐ jiǎo bàn shí wù shuō huà
的用处可多啦,它可以搅拌食物、说话,
zuì zhòng yào de shì tā néng cháng chū bù tóng de wèi
最重要的是它能尝出不同的味
dào shé tóu shàng miàn yǒu xǔ duō xiǎo hóng diǎn wǒ
道。舌头上面有许多小红点,我
men jiào tā men wèi lěi wèi lěi shì zhuān guǎn pǐn cháng shí
们叫它们"味蕾",味蕾是专管品尝食
wù wèi dào de qì guān lǐ miàn yǒu wú shù de gǎn jué shòu tǐ
物味道的器官,里面有无数的感觉受体

舌头的味觉分区示意图

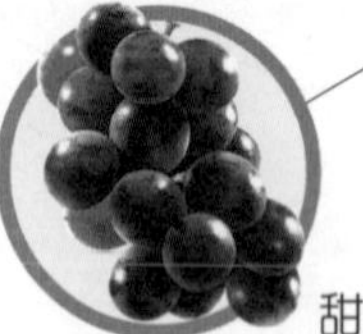

舌头是人体中功能最多的器官之一。

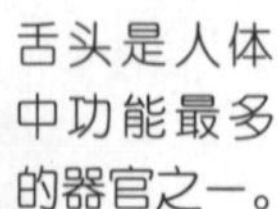

xì bāo tā men dōu mái cáng zài nián mó nèi shí wù bèi tuò
细胞，它们都埋藏在黏膜内。食物被唾

yè róng jiě hòu wèi lěi shang de xì bāo shòu dào wèi dào de cì
液溶解后，味蕾上的细胞受到味道的刺

jī jiù huì bǎ xìn xī chuán sòng gěi dà nǎo dà nǎo jīng guò
激，就会把信息传送给大脑。大脑经过

biàn rèn jiù néng shǐ rén cháng chū shí wù de wèi dào le
辨认，就能使人尝出食物的味道了。

智慧小考官

舌头是由什么构成的?

舌头主要是由肌肉构成的，表面完全被黏膜覆盖着。如果仔细观察，你会发现舌头上其实有很多深深的裂纹，还有很多形状不同的突起。我们把这些突起叫做“乳头状小突起”。味蕾就在这些裂纹和小突起的边缘。

舌头的结构示意图

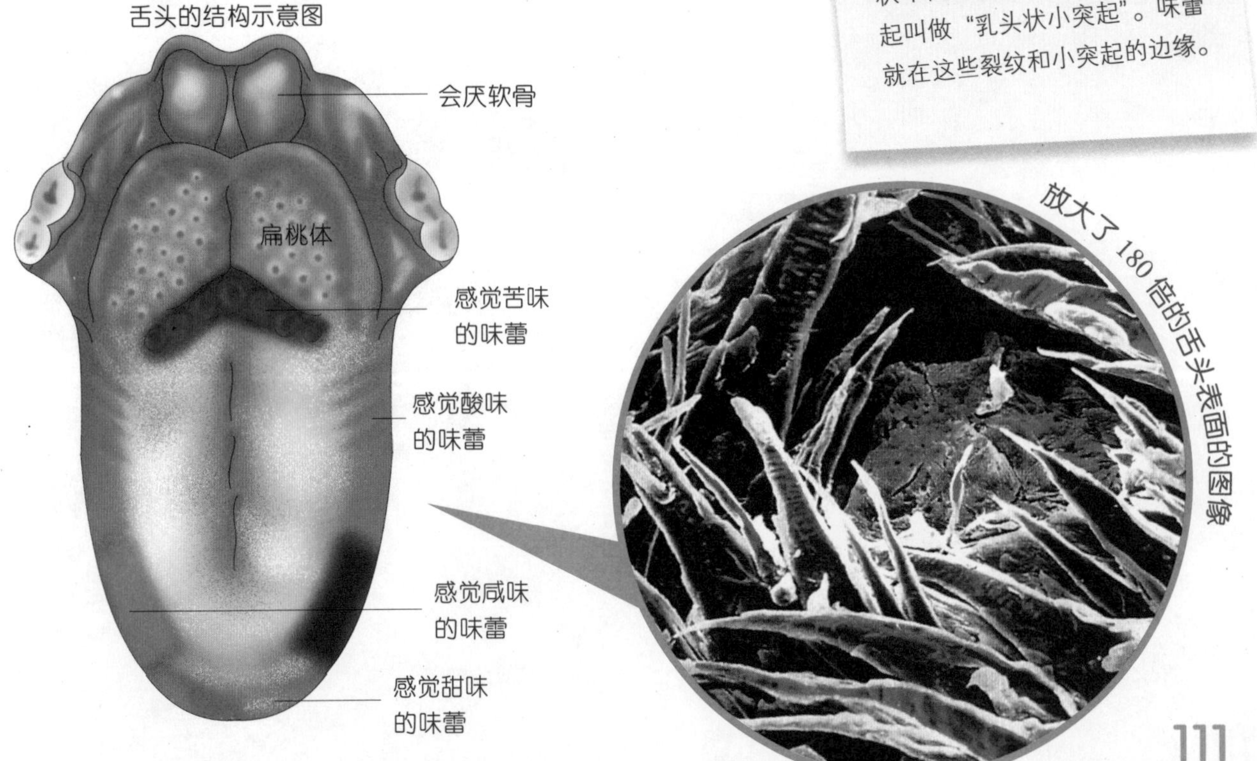

可爱的宝宝

wǒ shì cóng nǎ lǐ lái de

我是从哪里来的？

wǒ shì cóng nǎ lǐ lái de xiǎo péng yǒu nǐ wèn guò bà ba mā ma zhè yàng de wèn tí ma qí shí wǒ men měi gè rén de shēng mìng dōu shì cóng yí gè xì bāo kāi shǐ de wèi le zhì zào zhè gè xì bāo lái zì bà ba tǐ nèi de yí gè jīng zǐ jìn rù mā ma tǐ nèi de luǎn zǐ zhōng shǐ luǎn zǐ shòu jīng shòu jīng hòu de luǎn zǐ jiào zuò shòu jīng luǎn shòu jīng luǎn yí cì yòu

“我是从哪里来的？”小朋友，你问过爸爸妈妈这样的问题吗？其实，我们每个人的生命都是从一个细胞开始的。为了制造这个细胞，来自爸爸体内的一个精子，进入妈妈体内的卵子中，使卵子受精。受精后的卵子叫做“受精卵”，受精卵一次又

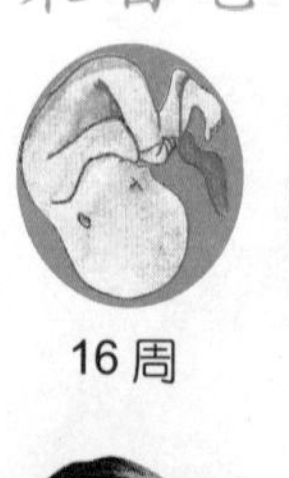

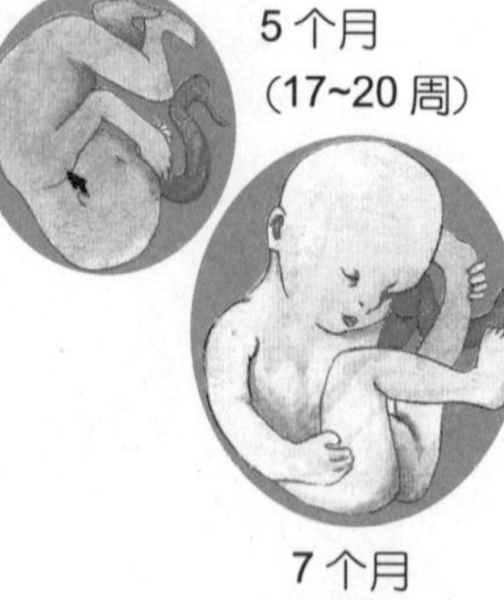

8周
9周
10周
11周
12周
16周
5个月（17~20周）
7个月（25~28周）
9个月（35~39周）

宝宝在妈妈身体里的成长过程

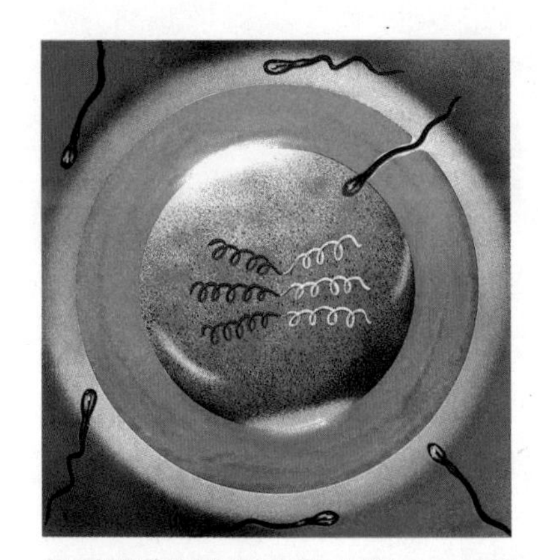
很多精子都在努力进入卵子，但是最后只能有一个精子与卵子结合，形成产生新生命的卵细胞。

yí cì de fēn liè fán zhí chū qiān qiān wàn wàn gè xiǎo xì bāo zhè
一次地分裂，繁殖出千千万万个小细胞；这

xiē xiǎo xì bāo jiù xíng chéng le yí gè pēi tāi zhú jiàn zhǎng chéng tāi
些小细胞就形成了一个胚胎，逐渐长成胎

ér tāi ér zài mā ma de zǐ gōng li zhú jiàn zhǎng dà dào le
儿。胎儿在妈妈的子宫里逐渐长大，到了

dì zhōu zuǒ yòu bǎo bǎo jiù gāi cóng mā ma
第39周左右，宝宝就该从妈妈

de dù zi li chū lái le
的肚子里出来了。

胎儿

智慧小考官

胎儿在妈妈肚子里吃什么？

胎儿从一个小小的细胞长大，也是需要营养的。胎儿的肚子上有一根脐带，这个脐带连接着妈妈的子宫，胎儿就通过这根脐带从妈妈的子宫里吸收营养。

新生儿看起来非常娇嫩。

wèi shén me wǒ zhǎng de xiàng bà ba mā ma

为什么我长得像爸爸妈妈？

dāng wǒ men zhào jìng zi de shí hou huì fā xiàn, zì jǐ yǒu xiē dì fang zhǎng de xiàng bà ba, yǒu xiē dì fang zhǎng de xiàng mā ma, zhè zhǒng xiàn xiàng jiào zuò "yí chuán". rén tǐ zhōng chéng zài yí chuán wù zhì de shì rǎn sè tǐ. rén tǐ de tǐ xì bāo li hán yǒu 22 duì cháng

当我们照镜子的时候会发现，自己有些地方长得像爸爸，有些地方长得像妈妈，这种现象叫做“遗传”。人体中承载遗传物质的是染色体。人体的体细胞里含有22对常

一般来说，孩子和爸爸妈妈长得很像。

我长得既像爸爸，又像妈妈。

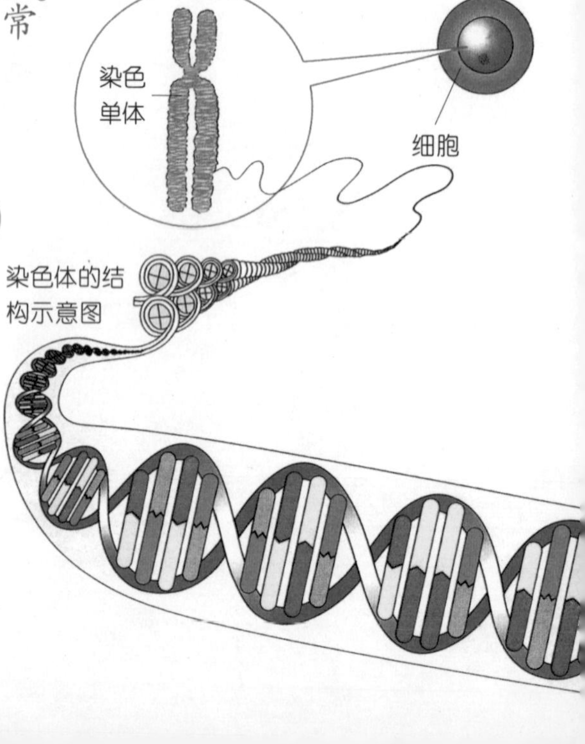

染色单体

细胞

染色体的结构示意图

染色体和1对性染色体，人体的全部遗传信息都附着在这些染色体上。细胞每分裂一次，都会复制出一个和自身一模一样的染色体，形成一个和母细胞完全相同的新生细胞。这样就确保了上一代和下一代在遗传上的稳定性，这也是我们和爸爸妈妈长得很像的原因。

DNA 的复制过程

智慧小考官

为什么我们长得并不和爸爸妈妈一模一样？

基因在遗传、复制的同时，还会不断地发生一些变化，所以我们的身上会有一些与爸爸妈妈不一样的特征，这种现象叫做“变异”。

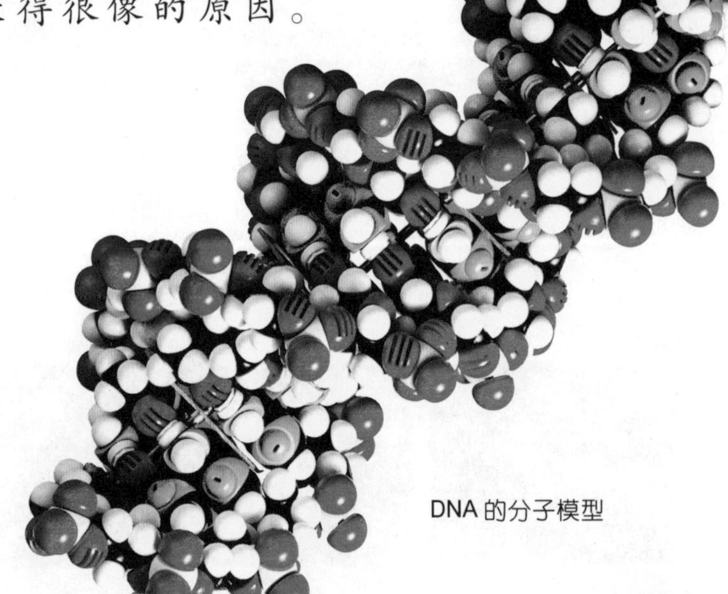

DNA 的分子模型

xuè yè wèi shén me shì hóng sè de

血液为什么是红色的？

rú guǒ wǒ men bù xiǎo xīn gē pò le shǒu zhǐ, jiù huì yǒu xiān hóng de xuè liú chū lái。xiǎo péng yǒu men zhī dào xuè wèi shén me shì hóng sè de ma？zhè shì yīn wèi xuè yè zhōng hán yǒu hóng yán sè de yǎng huà tiě。xuè yè zhōng de hóng xì bāo hán yǒu xǔ duō wǒ men ròu yǎn kàn bú jiàn de tiě lí zǐ。hóng xì bāo zhōng hái yǒu yì zhǒng wù zhì jiào xuè hóng dàn bái, tā men

如果我们不小心割破了手指，就会有鲜红的血流出来。小朋友们知道血为什么是红色的吗？这是因为血液中含有红颜色的氧化铁。血液中的红细胞含有许多我们肉眼看不见的铁离子。红细胞中还有一种物质叫血红蛋白，它们

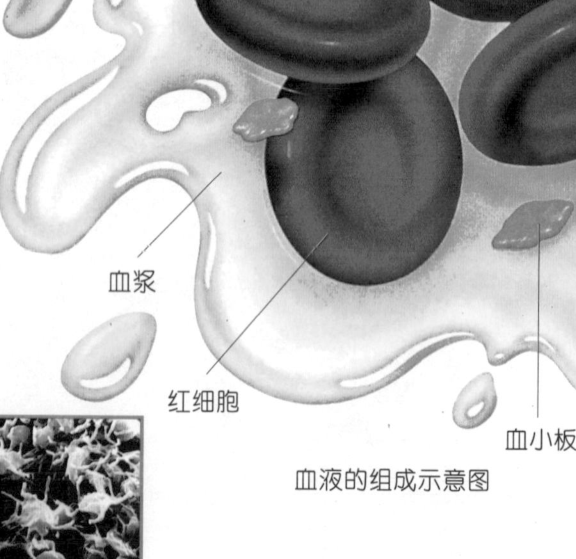

血液的组成示意图

红细胞

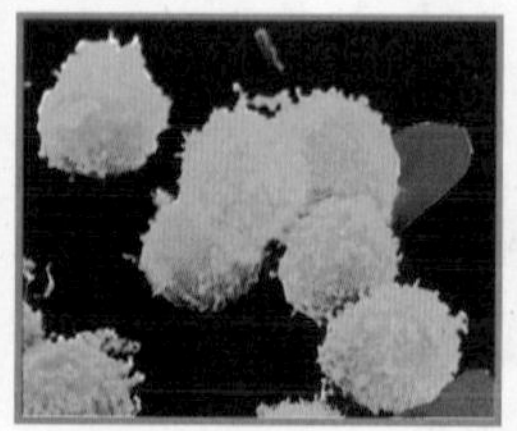
白细胞

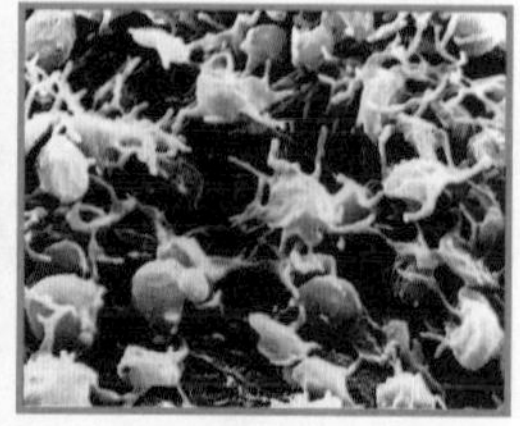
血小板

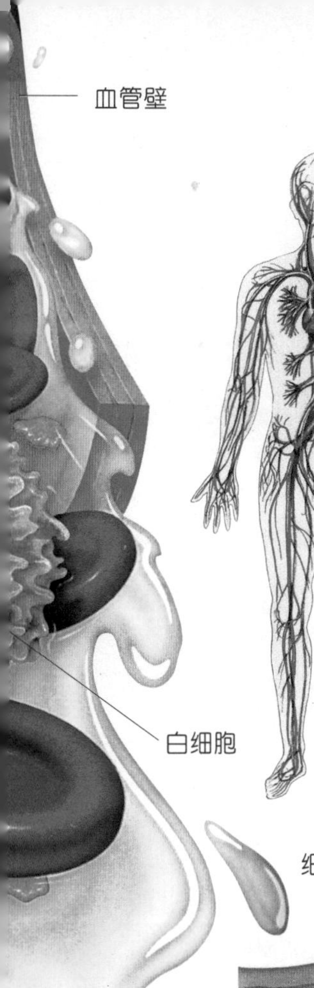

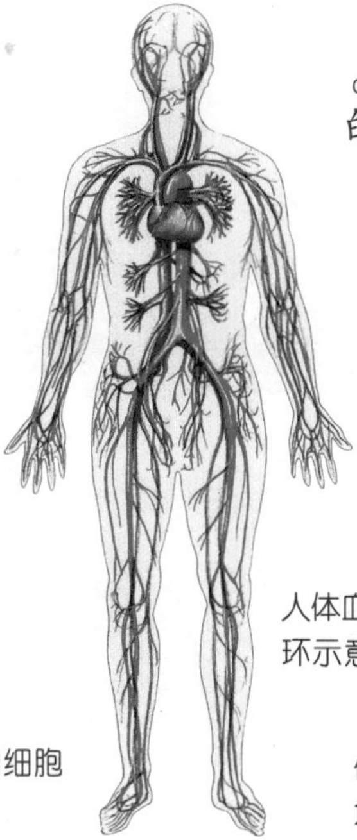

血管壁

的工作是负责运输氧气。当血红蛋白装载着氧气的时候，氧气和铁离子发生反应，生成氧化铁，血液就呈现鲜红色；当血红蛋白卸下氧气的时候，血液就变成了暗红色。

我终于知道血液为什么是红色的了！

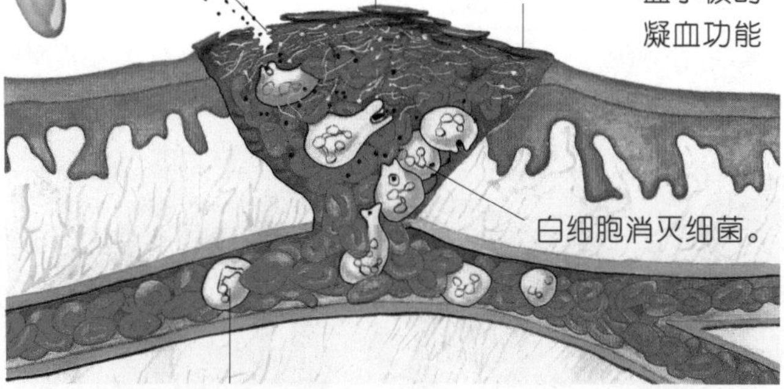

人体血液循环示意图

白细胞

伤口由纤维和红细胞堵塞，伤口上结痂。

细菌进入伤口。

血小板制造纤维。

血小板的凝血功能

白细胞消灭细菌。

白细胞离开血液，对付伤口的细菌。

智慧小考官

为什么流出的血液会凝结？

我们的皮肤被划破后，血一开始还会流出来，但过一会儿就会凝结，这是血小板的凝血功能在起作用。当皮肤被划伤出血时，血小板就会跑到伤口处，使血液凝成一团，这样血就不会再往外流了。

wèi shén me rén de fū sè bù yí yàng

为什么人的肤色不一样？

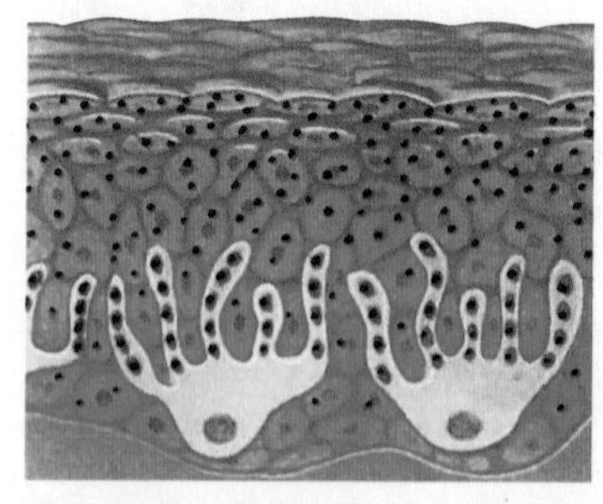

黑色素是皮肤内的一种黑褐色物质，可保护皮肤免受紫外线照射。

xiǎo péng yǒu rú guǒ liú xīn guān chá jiù huì fā xiàn wǒ men
小朋友如果留心观察，就会发现，我们
pí fū de yán sè shì bù yí yàng de lái zì bù tóng guó jiā de rén
皮肤的颜色是不一样的，来自不同国家的人
men yōng yǒu bù tóng yán sè de pí fū yǒu bái sè pí fū huáng sè
们拥有不同颜色的皮肤，有白色皮肤、黄色
pí fū hái yǒu hēi sè pí fū nǐ zhī dào zhè shì wèi shén me ma
皮肤，还有黑色皮肤，你知道这是为什么吗？

qí shí zhè shì pí fū li de yì zhǒng jiào zuò hēi sè sù de wù zhì dǎo de guǐ shēng huó zài bù tóng
其实，这是皮肤里的一种叫做黑色素的物质捣的鬼。生活在不同
dì qū de rén yīn wèi jiē shòu dào de rì zhào bù tóng
地区的人，因为接受到的日照不同，
tǐ nèi hēi sè sù de hán liàng yě bù yí yàng fū sè
体内黑色素的含量也不一样，肤色

根据肤色的不同，人类被划分为三大人种：白色人种、黑色人种和黄色人种。

世界上有各种不同肤色的人种。

jiù huì yǒu suǒ bù tóng　lì rú　chì dào shang de jū mín yīn
就会有所不同。例如，赤道上的居民因
wèi jiē shòu de rì zhào jiào duō　tǐ nèi hēi sè sù de hán liàng
为接受的日照较多，体内黑色素的含量
jiào duō　pí fū jiù huì bǐ qí tā dì qū de lüè hēi yì xiē
较多，皮肤就会比其他地区的略黑一些。

黑种人的皮肤里黑色素的含量非常高。

对我们来说，黑色的皮肤意味着健康！

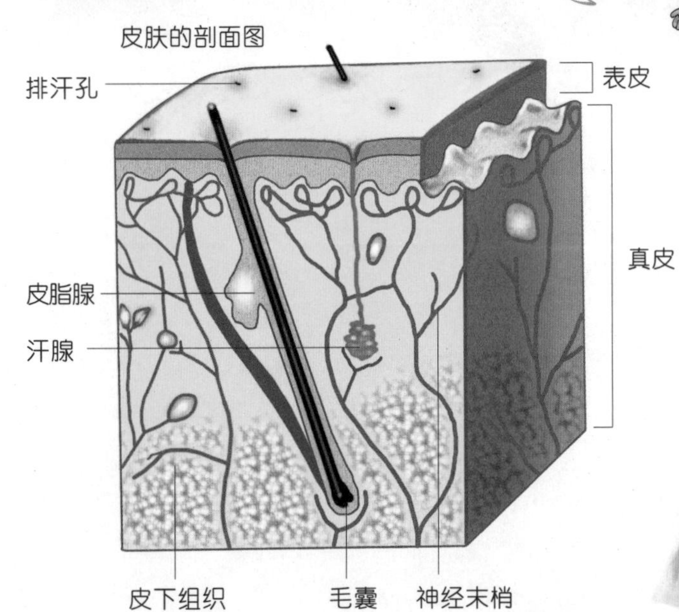

皮肤的剖面图

智慧小考官

人类有哪几种肤色?

人类最常见的肤色有白色、黑色和黄色。除此之外，还有一些人有着独特的肤色，比如有的人的皮肤呈红色，还有些呈棕色、褐色等。

白色是一种常见的肤色。

图书在版编目(CIP)数据

十万个为什么. 美丽的自然 / 龚勋主编. —昆明：云南教育出版社，2009.8（2009.9 重印）
（中国儿童必读知识宝库 / 龚勋主编）
ISBN 978-7-5415-3927-5

Ⅰ. 十… Ⅱ. 龚… Ⅲ. ①科学知识—儿童读物②自然科学—儿童读物 Ⅳ. Z228.1 N49

中国版本图书馆 CIP 数据核字(2009)第 146166 号

中国儿童必读知识宝库

十万个为什么·美丽的自然

总策划	邢 涛	出 版	云南出版集团公司 云南教育出版社
主 编	龚 勋	地 址	昆明市环城西路 609 号
文字统筹	贾宝花	网 站	http://www.yneph.com
编 撰	丛龙艳	经 销	全国新华书店
出版人	李安泰	印 刷	北京丰富彩艺印刷有限公司
责任编辑	袁宣民		
设计总监	韩欣宇	开 本	889×1194 1/24
装帧设计	乔姝昱	印 张	5
版式设计	孟 娜	字 数	50 千字
美术编辑	邹 彧	版 次	2009 年 8 月第 1 版
插图绘制	贝贝熊工作室等	印 次	2009 年 9 月第 3 次印刷
印 制	张晓东	书 号	ISBN 978-7-5415-3927-5
		定 价	12.80 元